Liliane est au lycée

Normand Baillargeon

Liliane est au lycée

Est-il indispensable d'être cultivé ?

Flammarion Antidote

Normand Baillargeon enseigne la philosophie
de l'éducation à l'université du Québec à Montréal.

© Flammarion, Paris, 2011.
ISBN : 978-2-0812-6426-7

INTRODUCTION

Mon amie Marie-France m'a raconté qu'enfant, elle n'avait pas bien compris le titre du livre dont parlait le professeur en classe : *L'Iliade* et *L'Odyssée* d'Homère étaient devenus *Liliane est au lycée* ! L'histoire se répète, dirait on... Le samedi 2 avril 2011, lors de la journée du livre politique, un journaliste du *Figaro* demande à Frédéric Lefebvre, secrétaire d'État au Commerce (et à de nombreuses autres choses encore), le titre du livre qui l'a le plus marqué.

M. le secrétaire répond aussitôt, avec une belle assurance : « Sans doute *Zadig et Voltaire*. » « Et pourquoi donc ? » insiste le journaliste, dont on ne saura pas s'il ironisait ou non. Le secrétaire d'État explique volontiers son choix, toujours avec le même aplomb : « Parce que c'est une leçon de vie. Et je m'y replonge d'ailleurs assez souvent. »

Ah ! Ces leçons de vie de *Zadig et Voltaire* ! Jamais on ne s'en lasse ; et comme on y replonge avec délices, n'est-ce pas…

Diffusées sur *You Tube*, ces images ont, une semaine plus tard, été vues par près de 200 000 curieux, qui ont laissé un nombre considérable de commentaires, outrés ou amusés.

On lisait dans tout cela, en filigrane, que le secrétaire d'État venait de commettre une bourde difficilement pardonnable en ce pays : il avait été surpris en flagrant délit de carence de culture générale, crime nettement aggravé par sa situation d'homme politique, à qui on est peut-être moins enclin à le pardonner qu'à un autre.

Qui sait, pourtant ? M. Lefebvre avait peut-être ce jour-là commis un simple lapsus, qui lui aura fait confondre *Zadig (ou la destinée)*, de Voltaire, avec *Zadig et Voltaire*, une marque et une boutique de vêtements. Mais il est vrai que se tromper sur le titre de son livre préféré est bien bizarre (j'ai écrit bizarre, moi ? Tiens, tiens…).

Quoi qu'il en soit, il y a peu de pays où le péché de carence de culture générale suscite d'aussi nombreuses et virulentes réactions, allant de l'hilarité (avez-vous lu *Surveiller et Punir* de Michel Fouquet's ? Aimez-vous *Les Mémoires d'Outre-Tombe*, de Château-Lafite ?) à l'indignation.

(« Non mais franchement ! Voilà ce qui dirige notre pays : une bande de branquignoles, inaptes, incultes et qui s'imaginent avoir les capacités intellectuelles pour gouverner. »)

Cette passion française pour la culture générale s'étale partout, et notamment sur les rayonnages qui lui sont consacrés dans les librairies et où l'étranger de passage – j'en suis un – la remarque bien vite, s'il ne l'avait pas notée auparavant.

On trouve là des ouvrages et des produits dont le *livrovore* que je suis ne connaît, et dois l'avouer, aucun équivalent nord-américain : des dictionnaires de culture générale, des encyclopédies de culture générale, des ouvrages consacrés à des thèmes de culture générale (l'amour, les frontières, le bonheur, l'argent…), des résumés de livres de culture générale, des cours accélérés de culture générale, des disques audionumériques de culture générale, des fiches et même des jeux questionnaires de culture générale : et bien d'autres choses encore. Sur amazon.fr, l'entrée : « culture générale » recense… 3 276 ouvrages ! Et si l'envie vous en prend, il sera difficile de faire une comparaison avec amazon.com, l'expression *general culture* étant pour ainsi dire inconnue et inutilisée en langue anglaise. (Il reste cependant vrai qu'un débat sur la culture générale s'est tenu dans le monde anglo-saxon, mais sous une forme singulière, comme on le verra, et très spécifiquement à l'université et autour de la nature et du contenu de l'éducation générale et commune qu'il convient d'y dispenser.)

Devant pareils étals, le chaland soudain s'arrête, tour à tour admiratif, amusé, puis, parfois, je l'avoue, légèrement inquiet. Car qu'est-ce que cette culture générale ? Sa possession étant, semble-t-il, d'une si grande importance, peut-on au moins la cerner dans ses grandes lignes ? Et quel est au juste le nom du singulier appétit que satisfont ces surprenants aliments ? Et d'ailleurs pourquoi la culture générale aurait-elle l'importance qu'on lui accorde habituellement ? À qui, encore, revient-il de dire ce qui devrait avoir été lu, compris et assimilé, et de désigner cet ensemble de repères culturels présumés devant être connus de tous ? Quels critères conduisent à leur élection ? Quel rôle, enfin, fait-on tenir à cette culture générale dans le jeu social, politique, économique, pédagogique ?

Ce livre se propose de soulever ces questions et quelques autres et, passant outre certains tabous qui entourent la culture générale, de se livrer à l'examen critique de cette idée, de sa nature, de ses usages et fonctions, tout cela au moment où, il faut bien l'avouer, elle est, paradoxalement, à la fois revendiquée et frappée d'une grande suspicion.

Avançons d'emblée au moins ceci. Cette culture générale n'est pas la culture des anthropologues ou des sociologues, du moins en tant qu'ils entendent par culture ce que nous acquérons du simple fait de notre appartenance à une société particulière – depuis nos façons de manger ou de nous vêtir, jusqu'à la langue que nous parlons, en passant par des valeurs et des habitudes ; elle n'est pas, non plus, la culture spécifique et spécialisée que l'on acquiert par l'éducation – les savoirs et la culture que possède un ingénieur, par exemple.

Elle se veut plutôt cet ensemble commun de repères qui s'acquièrent en allant au musée, au concert, en lisant et, surtout peut-être, en faisant sa scolarité de base : et son concept, cette fois, côtoie celui d'éducation. La culture générale est en ce sens lointaine fille de la *paideia* des Grecs, de la *puerilis institutionis* des Romains, des humanités d'hier et de l'éducation libérale d'aujourd'hui, toutes choses que je ne perdrai pas mon temps à expliquer ici puisque chacun, possédant un tant soit peu de culture générale, les connaît fort bien.

Si souvent invoquée, revendiquée ou exigée, cette culture générale est aussi devenue suspecte : son contenu imprécis paraît inassignable et elle se trouve, comme l'idée d'éducation, en état de perpétuelle remise en question. Il importe donc de

11

décider si l'idéal qu'elle prétend incarner peut être maintenu et, si oui, à quelles conditions. Pour ce faire, dressons le bilan des griefs qui lui ont été adressés et demandons-nous s'il est possible de la redéfinir en tenant compte de certaines critiques.

Pour commencer, je rappellerai donc le lourd fardeau de charges que l'on peut opposer à l'idée de culture générale. Je m'efforcerai ensuite de proposer un concept de culture générale dont je pense qu'il mérite d'être défendu. Mais je le ferai, du moins je l'espère, sans naïveté, conscient des limites de ce projet et soucieux de l'inscrire dans une perspective fièrement revendiquée : celle d'un progressisme politique qui ne renie rien ni des idéaux des Lumières ni de cet anarcho-syndicalisme cher à votre serviteur.

On y va ?

Chapitre premier

Alors comme ça,
vous voulez me cultiver ?

> – J'ai lu les *Bucoliques*, les *Provinciales*,
> les *Misérables*, les *Illuminés*,
> les *Diaboliques*, les *Désenchantés*,
> les *Déracinés*, les *Conquérants*,
> les *Indifférents*...
> – Et que faut-il lire maintenant ?
> – Les *Emmerdants*, il faut bien
> lire avec son temps !
>
> Jacques PRÉVERT, *Interview*

Il s'agirait donc, si je comprends bien, de me donner une culture générale. Eh bien au risque de choquer, je vois un nombre considérable d'objections à opposer à un tel projet.

Des ambitions démesurées

La première est sa démesure. Car à vous entendre cette culture serait générale ! Générale. Rien de moins.

Une culture, il faut donc croire, qui contiendrait un peu de tout ce qu'il y a à savoir, à connaître et, j'ose l'espérer, à aimer, sur, ma foi, un peu tout.

Une telle visée de généralité est, osons le dire... particulière.

Et à vrai dire et à y mieux penser, d'une telle ampleur que le projet en donne le vertige et devient aussitôt suspect. Pis : sans l'ombre d'un doute, ce suspect est coupable, coupable de folie des grandeurs.

Pour en convenir, il n'est que de songer, le temps du souffle d'un soupir, à tout ce qui pourrait légitimement réclamer d'être incorporé dans la grande armée de la culture générale.

Voyons un peu.

La peinture de toujours, bien entendu ; et la musique d'un peu partout, cela va de soi ; la danse d'hier et d'aujourd'hui, sans doute ; le cinéma, cela va sans dire ; la littérature... que dis-je : les littératures ; et puis les sciences, les humaines et les autres, dont je vous épargne la nomenclature, mais en vous assurant qu'il y en a beaucoup ; et que sais-je encore.

Fol inventaire. À l'aide. À moi. Prévert !

Cela étant toutefois, les lacunes de culture générale de chacune et de chacun sont aussitôt inévitables, automatiques, nécessaires, programmées d'avance et donc choses dont il ne faudrait pas trop s'offusquer et qu'il convient même de pardonner, fût-ce à un secrétaire d'État. Tenez, au hasard : vous le connaissez, vous, Frederick Douglass ? Ah ! Quelle carence de culture générale ! À mon très humble avis, bien plus grave encore que de n'avoir pas lu *Zadig et Voltaire* ! Mais je vous en excuse et vous la pardonne d'autant que j'ai forcément moi aussi, comme chacun et chacune, des lacunes de culture générale au moins aussi graves, voire pire encore.

Mais ce n'est pas tout. Car tout le monde admettra sans doute qu'une culture générale exhaustive est impossible, que nous nous efforçons sans jamais y parvenir entièrement d'être cultivés et que toute visée de culture générale se construit à partir de choix : choisir parmi tous les livres, tous les savoirs, toutes les idées et tous les contenus culturels.

Mais choisir c'est aussi exclure : *Omnis determinatio est negatio*, comme on dit depuis le Moyen

Âge, quand on a une certaine culture générale. Or justement, et comme on va le voir, ce qui est exclu en dit bien long sur ce qui est donné comme constituant la culture générale, peut-être même plus long que ce qui est retenu comme devant la composer.

Des choix révélateurs : biais et exclusions

Ce que sont ces exclusions, ce sur quoi on fait silence, une part au moins de tout cela est désormais assez généralement admise et reconnue, comme l'est aussi ce que ces silences nous apprennent sur nous-mêmes. Rappelons quelques-unes des grandes lignes de ces argumentaires devenus familiers.

Nous vivons dans des sociétés de classe et ces exclusions en portent la marque : elles sont classistes.

Nous vivons dans des sociétés où s'imposent de puissantes et persistantes divisions et discriminations selon le sexe : et ces exclusions sont sexistes.

Nous vivons dans des sociétés traversées de profondes et souvent imperceptibles divisions et discriminations fondées sur la race (ou plutôt sur ce qui est donné comme tel) : et ces exclusions sont racistes.

Ces exclusions tendent encore typiquement à opérer, plus ou moins subtilement, au profit de la survalorisation de la place et de l'importance des réalisations de l'Occident : elles sont en ce sens occidentalocentristes.

Nous vivons enfin dans des sociétés où l'appartenance à une société et à sa culture tend à être perverti, glorifié et instrumentalisé, notamment par l'État : et ces exclusions sont souvent nationalistes au pire sens de ce terme et pour tout dire ethnocentristes.

Reprenons tout cela tour à tour.

Culture générale : culture dominante ?

La culture générale qu'on promeut généralement n'est-elle pas en effet une culture générale où les accomplissements de la culture populaire sont arbitrairement ignorés, voire méprisés ? On peut par exemple s'y vanter de sans cesse revenir à Voltaire, mais guère d'aimer follement tel feuilleton télévisé, et ce même si on ne lit à peu près rien de Voltaire, hormis *Zadig*..., si rien ne justifie l'inclusion de l'un et l'exclusion de l'autre.

Entre culture savante et légitime et culture populaire et illégitime, la ligne est parfois subtile et son tracé peut, il est vrai, varier avec le temps : mais cette ligne, qui ne semble requérir aucune justification, existe bel et bien et sa reconnaissance instinctive est un marqueur qui permet de reconnaître la possession d'une véritable culture générale. C'est ainsi qu'être cultivé au sens où on l'entend généralement, c'est pouvoir parler sans gêne de Bach, des musées, de Picasso ; c'est pouvoir manifester sans retenue son amour du jazz et de Molière ; c'est évoquer les Beatles, à la grande rigueur – du moins en certains milieux, que vous saurez flairer quand vous aurez enfin la culture générale qui convient ; mais au grand jamais et en aucun cas, proclamer son affection pour, disons, Dalida ; ou pour le cinéma ou le théâtre populaires ; et ainsi de suite.

On est d'ailleurs tenté de dire que ce sont moins des savoirs relatifs à certains contenus culturels qui caractérisent la personne qui détient de la culture générale que cette seconde nature qui fait que l'on sait d'emblée ce qui convient et ce qui ne convient pas. Cette seconde nature vous apprend comment il faut se tenir dans le monde. Par elle, bientôt, si du moins vous acquérez cette culture générale, vous saurez s'il est permis ou non d'évoquer le football en telle ou telle compagnie et ce qu'il convient d'en dire là où on en peut parler ;

vous saurez aussi, sur le bout du cerveau si l'on peut dire, ce qu'il faut penser des films de Woody Allen et des westerns spaghetti, que vous aimiez ou même connaissiez ou non les uns et les autres, la chose étant sans grande importance. Or ces interdits et ces feux verts, ces terrains minés et ceux où il est au contraire bien vu et même recommandé de passer, tout cela est dans une large mesure balisé par la division de la société en classes, de sorte qu'acquérir une culture générale, c'est se doter des repères et de la sensibilité qui permettent ou non d'instantanément s'y retrouver et s'y sentir chez soi. Le sociologue Pierre Bourdieu a appelé *habitus* ces secondes natures acquises, en rappelant précisément à quel point elles sont différenciées selon les classes sociales.

Bref : vous saurez toujours d'emblée, une fois cultivé, ce qu'il faut dire, sentir et penser sur une quantité de sujets. L'indice que vous avez de la culture générale serait alors, en somme, curieux paradoxe, qu'elle vous dispense de penser…

Ce qui s'ensuit de tout cela est bien connu, mais si lourd de conséquences qu'il mérite d'être rappelé. Pour les membres des classes sociales dont les normes et les repères sont valorisés – par eux-mêmes et par l'autorité que leur confèrent la place et le statut qu'ils occupent au sein de la société –, la démarche d'acculturation est relativement aisée, presque naturelle, et elle renforce même en eux l'idée que l'ordre du monde est juste et cohérent et reflète des valeurs universelles. La culture générale dont la possession constitue un précieux capital leur est ainsi d'emblée familière et toutes les enquêtes sociologiques confirment qu'ils y sont aussitôt chez eux – et de fait, c'est chez eux ! – sans effort ni véritable mérite.

Mais pour tous les autres, l'acquisition de cette culture générale qui est, au fond, étrangère, est une forme de douloureuse aliénation, d'abjuration d'une part de soi et de ses appartenances. Parvenir à la posséder, c'est être devenu autre et avoir renié une part de son identité. Ne pas y parvenir, par contre, c'est être amené à attribuer cet échec à ses propres carences et à reconnaître l'infériorité de sa culture originelle : cette terrible double contrainte, dont on sort immanquablement perdant, guette qui se situe du mauvais côté de la clôture de la culture générale.

Ce caractère de classe des contenus culturels, l'arbitraire de leur élection, le rôle qu'ils jouent dans la reproduction des inégalités sociales, tout cela constitue une première raison, valable jusqu'à plus ample informé, de faire preuve à l'endroit de cette culture générale de la plus grande méfiance.

Ce n'est pas la seule, loin s'en faut.

L'autre moitié de la planète...

Considérez un moment ceci : Claude Lévi-Strauss, illustre ethnologue s'il en est, a pu décrire un village dont tous les adultes mâles étaient absents comme ayant... déserté. À en juger sur cette description, c'est en somme quand un seul genre (vous) manque que tout est dépeuplé.

Certes, et en raison de l'immense travail accompli par les féministes, une telle remarque choque aujourd'hui la plupart d'entre nous ; tout ce qu'elle peut avoir de discriminatoire nous saute désormais aux yeux. Mais cet exemple nous rappelle aussi que la culture savante, comme notre culture au sens large et comme la culture générale qu'elle promeut, ont tendu — et tendent toujours — à exclure les préoccupations, les intérêts et les accomplissements de la moitié féminine de l'humanité.

Ce biais est grave et impardonnable. Il est l'indice de l'existence au sein de notre culture — disons-le encore une fois : qu'elle soit savante, populaire ou générale — d'une espèce de point aveugle interdisant de voir certaines choses et ne permettant d'en apercevoir certaines autres que sous un certain angle. Et c'est jusqu'au langage par lequel nous nous exprimons qui est teinté par de tels biais sexistes. (Ce n'est pas ici le lieu d'ouvrir le vaste dossier de la féminisation des textes sur lequel il y a encore tant à accomplir ; disons simplement que le fait qu'il faille écrire : « Cent femmes et un cochon sont morts dans l'incendie » reste bien déprimant, quel que soit le niveau de culture où la chose est dite.)

Sitôt qu'on prend conscience de ces biais, on devine sans mal l'ampleur du travail que les féministes œuvrant dans les disciplines traditionnelles – dans les humanités, mais aussi en sciences, en histoire, en littérature et en un mot partout – ont dû et doivent encore accomplir.

Il leur a par exemple fallu montrer comment des points aveugles androcentristes ont produit une vision partielle et partiale des objets d'études des disciplines traditionnelles, occultant ainsi une part significative de l'expérience humaine. Il s'est encore agi pour elles – et en certains très rares cas, pour eux – de redécouvrir tout un pan des traditions intellectuelles ou disciplinaires qui avaient été peu ou prou occultées. Il s'est enfin agi de produire des concepts permettant de dire ce qui jusque-là avait été tu.

Certes, et j'en conviens, ce travail a été entrepris ; mais il s'en faut de beaucoup qu'il soit complet et plus encore, et c'est là où je veux en venir, qu'il porte ses fruits dans l'arbre de la culture générale. Bien entendu, Simone de Beauvoir, et c'est tant mieux, y est désormais incontournable. Mais il reste aussi tristement vrai qu'ensevelis sous des siècles de sexisme, c'est l'immensité des réalisations des femmes qu'il nous faut collectivement redécouvrir.

La culture générale qu'on promeut fera donc, comme il se doit, découvrir Claude Lévi-Strauss ; mais on n'y fréquentera guère, voire pas du tout, tant de ces femmes dont les contributions à la vie de l'esprit et au trésor d'expériences et de savoir communs de l'humanité mériteraient tout autant de figurer dans toute culture générale digne de ce nom. Il s'ensuit que c'est toute une part de l'expérience humaine qui est occultée.

Ces biais sexistes sont avérés, indéniables et constatables par toute personne de bonne foi. Et il est entendu qu'un argumentaire semblable à celui que je viens d'avancer à propos des femmes pourrait être déployé en ce qui concerne les homosexuels, les lesbiennes, les transgenres, et à propos de leurs expériences et de leurs contributions au patrimoine commun.

Voilà, me semble-t-il, une autre raison, elle aussi valable jusqu'à plus ample informé, d'aborder avec méfiance cette culture générale dont on prétend me doter.

Normal... Blanc, quoi !

Je le sais bien et je m'en réjouis : dans nos sociétés, du moins dans la plupart des milieux, le racisme est désormais totalement inacceptable.

Mais ce que j'ai en tête ici est une chose plus subtile que ce racisme ordinaire d'emblée décelable et que chacun, ou presque, condamne désormais. Ce racisme-là est culturel, précisément. Il est longuement, douloureusement, subtilement inscrit dans l'histoire de la civilisation occidentale (à la question : que pensez-vous de la civilisation occidentale, Gandhi répondit que ce serait une bonne idée...) et jusque dans sa culture et dans la représentation qu'on s'y fait de la culture générale. Il est fait du racisme ordinaire de ses grands penseurs, de Hume à Kant, de Hegel à Voltaire, en passant par d'innombrables autres ; il est fait de conquêtes génocidaires auxquelles il a servi de justification ; il est cet interdit qui fait aujourd'hui encore qu'on n'ose lucidement regarder sereinement ou discuter le remboursement par la France de l'effroyable dette qu'elle a imposée à Haïti, laquelle a tant contribué à sa richesse ; il est fait de profilage racial ; de persistantes inégalités scolaires pour les enfants de minorités « visibles » ; et de mille autres choses encore, qui agissent de manière complexe et subtile, et quand bien même les institutions légales, éducationnelles, politiques ou économiques les interdisent formellement, qui agissent en fonction de différences culturelles réelles, mais aussi imaginées ou construites et qui sont autant de rationalisations de statuts ou de traitements injustement différenciés.

Si ce qui précède est exact, comme je le pense, deux grandes séries de conséquences s'ensuivent pour la culture générale.

D'une part, cette fois encore, on peut présumer que sa définition, occidentalocentriste, si l'on peut dire, exclura arbitrairement une part de l'expérience et des savoirs de l'humanité. À l'heure de la globalisation, où sont les accomplissements des autres cultures dans cette culture générale ? Des mathématiques arabes ? De la musique africaine ? Des pratiques politiques amérindiennes ? Comment y parle-t-on de Christophe Colomb ? Le fait que le jour qui lui est consacré soit à toutes fins utiles maudit en Amérique latine – et pourquoi c'est le cas – en est-il une composante ? Le rôle de la France, comme celui du Canada et des États-Unis dans le coup d'État qui expulsa Aristide de Haïti est-il expliqué ?

Les silences de cette culture générale centrée sur l'Occident, on le voit, sont loin d'être innocents et sans conséquences : au contraire, il faut le craindre, ils sont le préalable et l'indispensable soutien à la poursuite de l'impérialisme.

D'autre part, ceux et celles qui n'appartiennent pas à la culture dominante et valorisée vivront leur parcours d'acculturation bien différemment de ceux et celles qui en font partie. Jane Roland Martin, une philosophe de l'éducation contemporaine, en offre une saisissante description en décrivant l'autobiographie intellectuelle de Richard Rodriguez (*Hunger of Memory*, 1982), un Américain d'origine mexicaine et hispanophone qui obtint une bourse d'étude qui lui permit de fréquenter l'université de Stanford, puis d'obtenir un doctorat en études anglaises. Or son parcours qui, des points de vue social, politique, économique et éducationnel usuels, est celui d'un succès exemplaire, fut aussi, comme il le raconte, du point de vue personnel cette fois, celui d'une perte, d'un deuil, et en un mot d'une douloureuse séparation de sa communauté, de sa culture, de sa langue, de sa famille et des manières de penser, d'agir et de ressentir qui y étaient les siennes. Rodriguez raconte comment il en vint même à vouloir oublier qu'il possédait un corps puisque ce corps est marron. Et en bout de piste, il dira ne pouvoir exister que comme individu privé et isolé, sans lien organique avec son groupe ethnique, avec sa classe sociale et avec sa propre famille.

Voilà encore un ensemble de raisons qui me paraissent elles aussi valables jusqu'à plus ample informé, et justifier que l'on aborde avec méfiance cette culture générale dont on prétend me doter.

À vos drapeaux !

L'argument est si simple qu'il ne mérite pas qu'on lui consacre un long développement.

Cette culture générale, c'est entendu, doit faire une part significative aux réalisations et accomplissements de la culture nationale, de ses écrivains, savants, historiens, politiques, de ses combats et de ses victoires. Mais on peut redouter, d'une part, qu'elle ne fasse une place démesurée à ses contributions à notre commune humanité, d'autre part, et surtout, l'histoire montrant à satiété à qui veut le voir l'indéniable légitimité de cette méfiance, qu'elle ne manifeste guère de recul critique par rapport à elle, déployant à son endroit des critères et des normes d'évaluation qui lui accordent un traitement préférentiel. Ce genre de biais se retrouve dans le cas de réalisations intellectuelles, scientifiques et artistiques, et en un mot dans tout l'éventail de la vie de l'esprit. Mais il occupe aussi le terrain politique et historique.

C'est ainsi par exemple que les crimes des autres États sont jugés tels au nom de critères dont la validité ne nous paraît pas poser de problème. Mais quand c'est nos propres crimes qu'il s'agit de juger, on omet bien vite ces critères ou on les trouve peu satisfaisants parce que toutes sortes de considérations nous semblent cette fois en limiter la portée. Que donnerait une application sereine et impartiale des normes juridiques déployées à Nuremberg aux agissements des chefs d'États occidentaux depuis 1945 ?

De tels biais, nationalistes et ethnocentristes, parcourent toutes les cultures et rien n'autorise à supposer que notre culture dite générale en est exempte.

Si l'on me demande ce que je redoute, je conterai volontiers un exemple très personnel. J'ai en effet eu cette année l'occasion de visiter le village martyr d'Ouradour-sur-Glane. C'est un terrifiant et désolant spectacle qui s'offre au visiteur de ce petit village du Limousin dont les habitants, en juin 1944, ont été systématiquement exterminés par les Waffens SS. On y a précieusement et pieusement conservé les ruines de tout ce qui fut leur village. On y voit les trous laissés par les balles dans les restes des murs, des carcasses de voitures et de banals objets de la vie quotidienne qui témoignent de ces 642 vies qui se sont brutalement arrêtées en ce lieu, ce jour fatal de juin 1944. À l'entrée du site écrivains et poètes nous répètent : « Ouradour, souviens-toi », en nous enjoignant que jamais plus pareil crime ne se produise.

Mais la France commettait de semblables crimes en Algérie quelques années plus tard à peine… et en bien d'autres endroits ensuite. Il est fort douteux qu'ils aient reçu et reçoivent le même traitement et soient jugés selon les mêmes critères.

Qui donc me racontera la seconde moitié du XXe siècle, histoire de parfaire ma culture générale ? Ou la colonisation ? Ou, pour toutes sortes de raisons que vous concevrez sans mal, la guerre froide, le conflit israélo-palestinien, l'implication de l'Occident dans la guerre civile libyenne en cours, et mille autres sujets…

J'ai jusqu'ici suggéré que la culture générale transmise porte, inscrites au fer sur sa chair, les multiples marques de l'exclusion, de l'oppression et de la domination dont classicisme, sexisme, racisme, élitisme, occidentalocentrisme et ethnocentrisme sont quelques-uns des noms.

Or les campus américains ont il y a peu incarné de manière exemplaire la portée de ces suggestions et mis en évidence leur caractère éminemment polémique. C'est ce que je souhaite à présent rappeler.

L'exemplaire querelle du Canon

Querelle du Canon ? C'est en effet sous ce nom qu'une véritable guerre s'est jouée sur les campus américains durant les deux dernières décennies du siècle précédent, une guerre concernant justement une part de l'idée que l'on peut ou doit se faire de la culture générale et de l'éducation. Son nom provient non de qu'elle fut menée à coups de canons, mais du « Canon » – entendez : l'ensemble des œuvres à teneur essentiellement philosophique, littéraire et politique qui définissent la culture générale.

Or son corpus traditionnel fut alors de toutes parts décrié, précisément pour les raisons que j'ai évoquées. L'heure, dirent alors ses critiques, est à sa redéfinition et à sa profonde transformation, par quoi il s'agira de l'ouvrir aux voix qui y ont été étouffées. Les défenseurs du Canon, de leur côté, s'offusquèrent de ce qu'ils jugeaient être d'intolérables et injustifiables assauts contre un ensemble de textes dont la portée universelle et la valeur leur paraissent démontrées tant par leurs caractères intrinsèques que par le fait qu'ils ont si longtemps résisté à l'épreuve du temps.

Quoi, diront ces derniers, il faudrait, en raison de son élitisme, retirer Platon du Canon, ou du moins minorer la place qu'il y occupe, et il faudrait le faire au profit de l'autobiographie, au demeurant dictée, parce qu'elle ne sait ni écrire ni lire, d'une paysanne guatémaltèque ?

C'est souvent par le scandale médiatique de cette authentique affaire et en ces termes peu attrayants que la querelle du Canon parvint aux oreilles du public. Mais si on passe outre un certain verbiage démagogique, elle donne pourtant à comprendre ces pressantes demandes d'ouverture de la culture générale, plus encore si on précise aussitôt que cette paysanne est Rigoberta Menchú, la future récipiendaire du prix Nobel de la paix (1992), lequel lui fut décerné « en reconnaissance de son travail pour la justice sociale et la réconciliation ethnoculturelle basées sur le respect pour les droits des peuples autochtones » et que le débat concernant la lecture de son autobiographie avait lieu dans une université d'un pays ayant joué, durant des décennies, un rôle de tout premier plan dans les innombrables atrocités commises sur le continent d'où provient Mme Menchú, elle-même ayant été le témoin ou la victime de nombre d'entre elles.

Les critiques légitimes que l'on peut adresser à l'idée de culture générale ne se limitent toutefois pas aux biais et exclusions que je viens d'évoquer, si importants soient-ils.

Telle qu'on la conçoit usuellement, la culture générale reste en effet volontiers littéraire et humaniste, au sens où on entend ce mot depuis la Renaissance. Elle est en cela coupable d'une autre série de graves omissions, qui lui enlèvent toute prétention à être réellement générale, cette fois en raison du peu de place qui y est fait aux sciences empiriques et expérimentales. Le moment est venu de nous y attarder.

Et les sciences, alors ?

Il faut le souligner avec force : depuis les débats sur les cellules souches, jusqu'à ceux portant sur le réchauffement planétaire en passant sur les actuelles querelles sur la pertinence de l'exploitation des gaz de schiste – et d'innombrables autres –, notre civilisation est partout confrontée à des problèmes sociaux, politiques et économiques qui exigent, pour être lucidement pensés, des connaissances scientifiques et technologiques sans lesquelles il est rigoureusement impossible de prétendre posséder une culture générale digne de ce nom. Disons-le : envisager aujourd'hui la culture générale sans admettre comme allant de soi qu'elle comporte une solide culture scientifique est une chose qui me paraît proprement irréelle.

Ce grief est déjà ancien et il n'y a, hélas, que bien peu de choses à changer à l'argumentaire que déployait à ce propos Charles Percy Snow (1905-1980) dans une célèbre conférence prononcée à Cambridge le 7 mai 1959 et publiée sous le titre *Les Deux Cultures*. Qu'on me permette d'y revenir brièvement.

Snow, qui était à la fois un scientifique et un romancier, était bien placé pour soutenir la thèse qui est la sienne, à savoir que la culture littéraire et la culture scientifique sont comme deux continents isolés dont les habitants n'entretiennent aucune communication les uns avec les autres. Les scientifiques ignorent ainsi le monde des lettres et des humanités, tandis que les littéraires ne savent à peu près rien du monde des sciences.

« Bien souvent, écrivait Snow, je me suis retrouvé en compagnie de gens qu'on tient, selon les normes habituelles de la culture, pour être très éduquées et qui, en y prenant grand plaisir, m'ont fait part de leur stupéfaction devant l'ignorance de la littérature qu'elles découvraient chez les scientifiques. Provoqué de la sorte, il m'est arrivé à quelques reprises de demander à ces personnes qui serait en mesure d'expliquer la deuxième loi de la thermodynamique. La question était accueillie par un silence glacial et la réponse était : personne. Et pourtant ce que je demandais était l'équivalent pour la science de la question suivante pour la littérature : Avez-vous déjà lu une œuvre de Shakespeare ? »

Revenant plus tard sur ce passage, il ajouta : « Je pense à présent que si j'avais posé une question plus facile – comme : expliquez ce que vous comprenez par masse ou accélération, ce qui est l'équivalent scientifique de : savez-vous lire ? – il ne se serait pas trouvé plus d'une personne sur dix, parmi ces gens très éduqués, pour penser que je parlais la même langue qu'eux. Et c'est ainsi que tandis que s'élève le grand édifice de la physique moderne, la majorité des personnes les plus brillantes dans le monde occidental en ont un niveau de compréhension comparable à celui de leurs ancêtres du néolithique. »

Si cette thèse reste juste, comme je le pense, elle signifie qu'un nombre considérable de personnes n'ont pas de culture générale, non seulement parce que, comme je l'ai dit, ce qu'on entend par ce mot est le plus souvent limité à une culture littéraire et humaniste à laquelle il manque une culture scientifique pour être une véritable culture générale, mais aussi parce que ceux et celles qui possèdent une telle culture scientifique n'ont, de leur côté, que peu de culture littéraire et humaniste.

Parmi les sciences dont la connaissance est indispensable à qui veut posséder une culture générale, il en est une à laquelle il faut faire une place à part et sur laquelle je voudrais insister. Celle-ci n'est ni empirique ni expérimentale, comme celles dont je viens de parler : il s'agit, on l'aura deviné, des mathématiques.

Un scandaleux « innumérisme »

Je vous invite à tenter l'expérience suivante avec vos proches.

Prenons, dites-leur, une feuille de papier de format ordinaire. Vous leur faites remarquer qu'on peut convenir qu'elle a un dixième de millimètre d'épaisseur. Vous la pliez en deux par son milieu et vous expliquez que vous avez désormais entre les mains un petit cahier constitué de deux feuilles et quatre pages, lequel a donc deux dixièmes de millimètres d'épaisseur.

Vous faites ensuite un nouveau pli et soulignez que votre petit cahier a désormais quatre dixièmes de millimètres d'épaisseur. Vous dépliez ensuite lentement votre cahier, pour revenir à la feuille initiale. Pendant ce temps, vous dites : « Comme vous le voyez, chaque pli ne m'a guère pris plus d'une seconde de sorte que si j'avais continué pendant une minute, j'aurais certainement pu faire, disons, 50 plis. Mais je ne veux pas vous faire perdre de temps. »

Vous posez ensuite aussitôt la question suivante : « Supposons cependant que j'aie continué jusqu'à 50 plis, quelle aurait selon vous été l'épaisseur du petit cahier que j'aurais ainsi confectionné devant vos yeux en moins d'une minute ? »

Les réponses varieront beaucoup, mais vous aurez typiquement les suivantes : 5 centimètres (50 fois 1 dixième de millimètre !) ; plusieurs centimètres ; un mètre ; plusieurs mètres ; et, chez ceux et celles qui se méfieront avec raison de la vitesse à laquelle croissent de telles progressions appelées géométriques, des estimations parlant de « la hauteur d'un building », voire encore plus haut.

Mais peu de gens vont imaginer le résultat auquel on parviendrait si on pouvait réaliser cette expérience – ce qui est impossible étant donné qu'après 7 ou 8 plis, on ne peut physiquement la poursuivre. Ce résultat ? 122 millions de kilomètres ! Quelque chose comme les deux tiers de la distance de la Terre au Soleil !

Ce résultat fait bien voir l'extraordinaire vitesse de ces progressions où on multiplie à chaque fois le résultat par deux.

Je soupçonne que de nombreuses personnes échoueraient à ce petit test : elles souffrent d'un mal que j'appelle l'innumérisme, qui est une sorte d'équivalent pour les nombres, et plus généralement pour les mathématiques, du bien connu et déplorable illettrisme. L'innumérisme a cependant ceci de particulier qu'il n'apparaît pas honteux à ceux et celles qui en souffrent. Mieux : on s'en vanterait presque. Pour un peu, « Moi, les mathématiques, je n'y ai jamais rien compris », serait avancé avec un brin de fierté, voire porté comme un titre de gloire.

Il va sans dire que si la place faite aux sciences dans la conception usuelle de la culture générale est bien congrue, celle qui est faite aux mathématiques, elle, est quasi inexistante. Et pourtant ! Comment prétendre être cultivé quand on souffre d'innumérisme ? Ignorer, ce que sont, disons, un mode, une moyenne, un écart-type, voilà l'équivalent de ne pas savoir ce que sont un sonnet, une nouvelle ou un éditorial.

La culture générale typiquement promue est donc non seulement pleine de biais et d'exclusions, mais elle est aussi pleine de trous qui contribuent à la rendre encore moins attrayante.

Et ce n'est pas tout. Car une part de ce qu'elle offre serait même, par bien des aspects, oserais-je le dire… bien peu attirante.

Pédants et charlatans

« Si quelqu'un se vante de comprendre et d'expliquer les écrits de Chrysippe, dis-toi que si Chrysippe n'avait pas écrit dans un style obscur, celui-là n'aurait pas eu de quoi se vanter », disait Épictète. Convenons en tout cas qu'on peut sans mal comprendre pourquoi il existe une longue tradition ayant pris le parti de se moquer de ces incarnations typiques du détenteur de culture générale que sont le philosophe, l'intellectuel et, de nos jours, le penseur médiatique. Jugez-en.

Un philosophe, un coiffeur et un chauve voyageant dans une région peu sûre conviennent de monter la garde à tour de rôle. Le coiffeur est le premier à s'y coller et, pour lui jouer un tour, rase le crâne du philosophe. Réveillé pour monter la garde, celui-ci se touche la tête et s'exclame : « Cet imbécile de coiffeur s'est trompé : il a réveillé le chauve ! » Cette blague date… de l'Antiquité.

On pourra y voir la pauvreté de la culture populaire d'hier, qui préfigurerait celle d'aujourd'hui ; on trouvera démagogique de soutenir le contraire. Mais sans aucunement glorifier l'anti-intellectualisme primaire, il convient de s'efforcer de lire la part de ce qui est juste dans ce qui s'exprime ici : un malaise, parfois justifié, devant la suffisance, l'arrogance, la vanité, les poses et la vacuité.

Et on n'ira pas croire que des penseurs dignes de ce nom n'aient pas partagé ce point de vue exprimé par la critique populaire.

Montaigne, à la Renaissance, raille lui aussi, de manière exemplaire et combien drôle, ces sots et prétentieux perroquets. « J'en connais, dit-il, à qui, quand je demande ce qu'il sait, il me demande un livre pour me le montrer ; et n'oserait me dire qu'il a le derrière galeux, s'il ne va sur-le-champ étudier en son lexicon, que c'est que galeux, et que c'est que derrière » (Montaigne, *Essais*, Livre I, chapitre 25). Et de nous raconter ensuite la savoureuse anecdote qui suit – comme on aurait aimé être là : « J'ai vu chez moi un mien ami, par manière de passe-temps, ayant affaire à un de ceux-ci, contrefaire un jargon de galimatias, propos sans suite, tissu de pièces rapportées, sauf qu'il était souvent entrelardé de mots propres à leur dispute, amuser ainsi tout un jour ce sot à débattre, pensant toujours répondre aux objections qu'on lui faisait ; et si était homme de lettres et de réputation, et qui avait une belle robe. »

À son tour et comme tant d'autres avant et après lui, Bertrand Russell dira admirablement, au

XXᵉ siècle : « Les êtres humains naissent ignorants, mais pas stupides, c'est l'éducation qui les rend ainsi. »

Le linguiste et philosophe Noam Chomsky est peut-être celui qui a, avec la plus grande acuité, identifié d'autres aspects de ce phénomène sur lequel je veux m'attarder. Les intellectuels, dit-il en substance – ce mot devant être entendu comme désignant certaines des personnes œuvrant au sein des humanités, des journalistes et plus générale-ment ceux et celles qui interviennent pour com-menter l'actualité des enjeux sociaux, politiques et économiques d'intérêt commun et qui ont les moyens de se faire entendre du public –, ont un problème : celui de justifier leur existence. Or, poursuit-il, il arrive que cette justification passe par une abusive et artificielle complexification du propos destinée à en masquer la vacuité. Cette pente, on l'aura compris, guette la culture générale.

Le propos de Chomsky peut choquer. Et il faut bien admettre qu'il n'a pas été tendre envers les intellectuels, tout particulièrement français, accusés d'incarner à un point rarement atteint les défauts qu'il dénonce. Par exemple, selon Chomsky, Lacan est un pur charlatan conscient du rôle qu'il joue et qui se moque du milieu intellectuel parisien afin de voir jusqu'à quel point il peut avancer des absurdités sans cesser d'être pris au sérieux. Quant à la lecture de *De la grammatologie*, de Derrida, elle le laisse pantois par la pauvreté de l'argumentaire et son mépris des normes académiques, voire des simples normes intellectuelles avec lesquelles Chomsky dit être familier depuis l'enfance. Et ces deux-là sont ceux parmi les intellectuels français de la mouvance postmoderniste qu'il estime tout de même mériter d'être lus : les autres, ajoute-t-il, du moins ceux qu'il admet connaître un peu, ne démontrant à ses yeux pas même un minimum de sérieux.

Je n'ai encore rien dit de ce singulier totémisme qui affecte les gens qui ont ce qu'ils appellent de la culture. En voici un échantillon, rédigé par un foucaultlâtre : « On rapporte que Foucault aurait dit, alors qu'on lui proposait d'appeler Deleuze : "On ne se voit plus." La phrase est peut-être apocryphe, mais cela n'a pas d'importance : beaucoup d'anecdotes sur les philosophes antiques sont elles aussi apocryphes, comme inventées sous la poussière de la vérité qui traversait leur œuvre. C'est le cas, je crois, de cette formule : "On ne se voit plus", très belle parce qu'elle ne donne, à l'éloignement, aucun autre sens que celui d'une perception devenue brouillée, d'une invisibilité réciproque (on ne se "voit" plus parce qu'on ne se *voit* plus), d'une disparition en un sens entièrement accomplie, en un autre sens parfaitement annulée : car la fin d'une intimité, c'est avant tout la perte d'une certaine façon de disparaître, à deux, aux yeux du monde, ou de devenir ensemble incompréhensibles » (Philippe Artières et Mathieu Potte-Bonneville, *D'après Foucault : gestes, luttes, programmes*, Les Prairies ordinaires, Paris, 2007, vol. I, p. 6).

Imagine-t-on facilement un amateur de football parler de la sorte de son joueur préféré ? Il tomberait rarement si bas, il me semble. Et puis il s'efforcerait de justifier ce qu'il avance par des faits et par des arguments, se montrant par là plus intellectuel que le supposé intellectuel en extase contemplative qui viendra tout à l'heure le dénigrer.

Ne vaut-il donc pas mieux, en bout de piste, rire de ces drôles qui possèdent moins de la culture qu'ils ne sont possédés par des bribes d'informations, par des *habitus*, par des poses qu'ils appellent « culture » ? De tous ces drôles cultivés, aveugles à leurs propres insuffisances, élitistes, dominateurs, parfois idiots, qui viennent pour certains justifier tous les crimes des pouvoirs qu'ils servent et qui ont l'inconcevable outrecuidance de prétendre venir nous dire ce qu'il faudrait penser ?

Et pourtant...

Mais pour savoir tout cela, pour exprimer ce refus, tous ces doutes et toutes ces critiques que je viens d'exposer, ne faut-il pas déjà posséder (ou aspirer à) une certaine culture, sans doute pas celle qu'on rejette au nom de ces doutes et de ces critiques, mais une certaine culture tout de même et plus encore une certaine idée de cette culture générale : du genre de celle qu'on ne chercherait pas si on ne l'avait, en un sens, déjà trouvé.

Et si c'était à partir de là, à partir de la fois ce qui fonde ces critiques qu'il conviendrait de penser la culture générale et d'en articuler une conception plus cohérente, plus juste et plus défendable ?

Le pari mérite d'être tenu, le défi d'être relevé.

Chapitre 2

À mieux y penser...
Une défense de la culture générale

Reprenons donc depuis le début. Et commençons, si vous le voulez bien, par ce qui me semble être un préalable raisonnable . demandons-nous, avant même de chercher à en préciser le contenu, ce qu'il est légitime d'attendre de cette culture générale. Que vise-t-on en souhaitant à ce point la répandre ? Pourquoi est-elle si chère à tant de gens ? Quels en sont les bienfaits attendus qui nous la rendent si précieuse ?

Je propose de ventiler en deux grandes catégories les légitimes espoirs qu'on peut placer en la culture générale, avec la conviction que ce que j'avance ne sera jugé polémique par personne, et tout en avouant que les deux catégories que je mets en avant ne sont pas totalement étanches et n'ont d'autre fonction que d'être utiles à la réflexion.

Je suggère donc que les effets espérés de la culture générale se feront ressentir, d'une part, sur l'individu qui la possède, d'autre part, sur la communauté à laquelle il ou elle appartient, et plus précisément sur le type de lien qu'il ou elle entretient avec elle.

Les vertus de la culture générale

Du côté de l'individu — et je m'inspirerai ici de réflexions du philosophe de l'éducation britannique contemporain Richard S. Peters —, la culture générale devrait avoir sur qui la possède un ensemble d'effets observables simplement en examinant comment cette personne conduit sa vie, laquelle devrait, si l'on peut dire, en être imprégnée. C'est que la culture générale acquise n'est pas en elle lettre morte, chose inerte : elle est vivante, agissante et transforme profondément la personne qui la possède et en qui elle vit.

Pour commencer, la culture générale devrait contribuer à l'élargissement de la perspective qu'il ou elle entretient sur le monde et lui permettre d'échapper à l'enfermement, souvent si lourd, de l'ici et du maintenant. Cette culture générale, qui élargit le cercle de l'expérience humaine que nous devenons capable de saisir, de comprendre, et souvent d'aimer, c'est en somme, comme le dit si joliment Renaud, tout ce qui fait *Qu'tu peux voyager d'ta chambre / Autour de l'humanité.*

Elle donne de ce fait, et ce n'est pas négligeable, accès à certains types de plaisirs, de divertissements et d'activités de toutes sortes, agréables ou enrichissantes, qui seraient à jamais hors de portée sans elle.

Mais cet élargissement a aussi, et il faut y insister, des dimensions plus strictement cognitives. La culture générale enrichit en effet notre connaissance du monde en même temps que le vocabulaire dont nous disposons pour le décrire.

Cette multiplication des perspectives et cet enrichissement cognitif accroissent encore l'éventail des possibles entre lesquels il nous est possible de choisir et de nous choisir et contribue ainsi à forger à la fois notre identité et notre autonomie.

De plus, la culture générale vivante incite la personne qui l'acquiert à organiser et à systématiser les diverses perspectives sur le monde dont elle dispose. Celles-ci communiquent entre elles, si l'on peut dire, et elles s'enrichissent mutuellement les unes les autres. Sa compréhension de l'histoire, par exemple, qui est une expérience vivante et vibrante, qui la transforme, qui imprègne sa vision des lieux, des monuments et des rues, est aussi en relation avec toutes les autres perspectives qu'elle entretient sur le monde et, chaque fois que cela est pertinent, cette compréhension de l'histoire interagit avec elles, les informe et les enrichit, tout comme elle s'en informe et s'en enrichit.

Je voudrais faire une toute dernière remarque, mais qui me paraît importante, relativement aux effets attendus de la culture générale sur ses détenteurs : les transformations qu'elle opère sont en effet présumées changer en mieux celui ou celle qui l'acquiert.

On pense en effet couramment, et on a en droit raison de le faire, qu'il vaut mieux posséder sur le monde une pluralité de perspectives, notamment cognitives, que de n'en pas posséder – ou d'en avoir moins ; et encore qu'il est préférable d'être en mesure de relier entre elles ces perspectives que de ne pas le faire ; et ainsi de suite, pour chacun des traits qui caractérisent les détenteurs de culture générale. Si on presse qui la soutient de justifier plus avant cette idée, il ou elle dira probablement que ces jugements de valeur tiennent à la nature même de l'objet considéré et vont en quelque sorte de soi. Il y aurait même, ajoutera-t-on, quelque chose d'un peu philistin à demander pourquoi il vaut mieux, par exemple, connaître la littérature française que ne pas la connaître : cela vaut mieux sans qu'il soit besoin de dire pourquoi, de la même manière qu'il vaut mieux être en santé que malade, heureux que malheureux.

Ces arguments ont leur poids. Mais ils ne devraient pas nous empêcher de tenter de mieux cerner les raisons pour lesquelles nous pensons qu'une personne qui possède de la culture générale a été – ou du moins devrait avoir été – transformée pour le mieux. Or il me semble que c'est en raison de l'acquisition présumée de certaines vertus (pour reprendre un mot ancien et démodé).

Au nombre de ces vertus, quelques-unes me paraissent capitales. L'élargissement des perspectives, cognitives et autres, que l'on peut entretenir sur le monde par la culture, l'arrachement aux accidentels aléas de l'ici et du maintenant qui les accompagnent, tout cela devrait en effet nourrir la reconnaissance de la fragilité et de la faillibilité de notre savoir, de notre petitesse individuelle devant l'étendue de l'expérience humaine, des limitations et des contingences de nos jugements, toujours en droit révocables et, en un mot, alimenter ce que j'appellerai une certaine « humilité épistémique ». Celle-ci, en retour, nourrit une perpétuelle attitude critique, qui ne tient rien pour acquis et examine sans relâche tout ce qui se donne pour vrai ou établi, et qui partout exerce cette attitude critique, y compris sur soi-même. Ces vertus – humilité, faillibilisme, perspective critique – sont à mes yeux parmi les plus importantes, voire les plus importantes vertus que devrait procurer le fait de posséder une authentique culture générale.

Cette image de la personne cultivée me paraît plausible. Et attirante. Elle aide aussi à mieux comprendre que ce que l'on décriait dans le chapitre précédent, c'est moins l'idée de culture générale en elle-même, que certaines de ses mauvaises et imparfaites réalisations : cette suffisance du pédant, qui est le contraire de l'humilité épistémique de la personne éduquée ; cette absence de vastes perspectives cognitives, qui est le fait d'une vision du monde ethnocentriste, raciste, sexiste, etc. ; ces carences de culture générale que sont l'ignorance des sciences et des mathématiques ; cette servilité et cette idolâtrie, qui sont la marque même de l'absence d'esprit critique.

J'ai soutenu que les effets espérés de la culture générale se feront ressentir non seulement sur la personne qui la possède mais aussi sur la communauté à laquelle elle appartient. Le moment est venu de nous y attarder.

Culture générale et lien politique

Comment douter en effet que la vie politique de la communauté, si du moins on l'envisage, comme le suggère John Dewey, sur le modèle d'une vaste « conversation démocratique », ne puisse manquer de tirer d'immenses bénéfices du fait que ceux et celles qui y prennent part possèdent les caractéristiques et les vertus que nous venons de recenser ? Informés des questions dont ils parlent, soucieux de l'être quand ils ne le sont pas, ou pas suffisamment, à l'écoute des autres points de vue, notamment parce qu'ils mesurent l'immensité de leur ignorance, capables de multiplier les perspectives par lesquelles des problèmes sont envisagés, capables donc de prendre simultanément en compte les dimensions historiques, économiques, politiques, sociales de toute question abordée, ces participants à la conversation démocratique sont de ceux dont l'apport est *a priori* le plus souhaitable. Sans être totalement immunisés – qui pourrait se flatter de l'être ? – contre les charlatans et les marchands d'illusions, ils et elles sont autant de garanties contre l'erreur, le fourvoiement et les errements collectifs de toutes sortes.

Mais il y a plus important encore, et qui nous conduit à ce qui est sans aucun doute un des thèmes les plus décisifs de notre problématique, à savoir le fait qu'une culture commune, par laquelle nous disposons notamment d'un vocabulaire et de référents communs, est indispensable à la poursuite de la conversation démocratique et à la constitution même d'un monde commun.

Considérez une simple phrase comme : « Le secret gardé sur la nature exacte des composés utilisés lors de la fracturation hydraulique pourrait bien être le talon d'Achille de l'industrie du gaz de schiste. » Cette phrase est incompréhensible sans un certain nombre de repères – scientifiques, culturels, économiques, sociaux – que fournit la culture commune. Il en va de même pour la phrase suivante, sur laquelle je reviendrai : « Zippo a gagné grâce à ses arrêts glissés à plus 1. »

En attendant et si tant est qu'une véritable conversation démocratique soit si intimement dépendante d'une culture commune, sa possession devient, pour reprendre une expression de E. D. Hirsch qui a donné ce que je tiens pour la formulation la plus convaincante de ces idées, rien de moins qu'un véritable « droit civique des individus ». Il s'ensuit aussi que leur en faciliter l'acquisition est un devoir de la collectivité envers chacun d'eux et tout particulièrement envers ceux qui ne disposent pas à la maison d'un accès sans entraves à cette culture – et il s'agit typiquement des membres des classes les plus pauvres.

Or cette idée selon laquelle une telle culture commune est un indispensable préalable à la réflexion individuelle, à la communication avec autrui et à la conversation démocratique a reçu des sciences cognitives un appui décisif et je voudrais à présent le rappeler – ce qui me permettra de revenir sur la phrase concernant Zippo.

Le nombre magique

Faisons retour vers le passé, et plus exactement au 11 septembre 1956.

On peut en effet dater de ce jour la naissance des sciences cognitives, alors que se tenait au Massachusetts Institute of Technology de Boston une réunion de spécialistes sur la théorie de l'information à laquelle participaient notamment George A. Miller (1920), Noam Chomsky (1928) et Herbert Simon (1916-2001).

Le deuxième y présente ses idées sur la linguistique générative et la grammaire formelle, qui vont, comme on sait, révolutionner la discipline ; le troisième défend le projet de simulation par ordinateur des processus cognitifs, qui est le fondement et le point de départ de l'ambitieux et influent programme de recherche en intelligence artificielle. Quant au premier, il expose ses conclusions désormais classiques sur la mémoire de travail et ce qu'il appelle le « nombre magique », à savoir 7 plus ou moins 2. C'est sur ce nombre magique que je veux à présent m'attarder un moment.

La grande découverte de Miller est la suivante. Nous accédons au monde via une sorte de fenêtre à travers laquelle un nombre limité d'items peut être traité : on estime en fait justement à sept plus ou moins deux le nombre d'items que peut contenir cette fenêtre que l'on appelle notre « mémoire de travail ». Après quoi, nous sommes intellectuellement débordés.

Cette limitation serait bien entendu catastrophique si rien ne permettait de la surmonter – ce qu'au demeurant il est évident nous faisons couramment. Elle est en fait surmontée par un processus qui permet de regrouper des items pour en faire un seul : ce que les sciences cognitives appellent le *chunking* ou « regroupement », qui est l'intégration de données dans une entité unique de niveau conceptuel plus élevé et ce aux fins de stockage et d'extraction. Or ce qui rend possible cette intégration, ce sont justement des savoirs, ces « simples faits » et données mémorisés et connus et qu'on pourrait être tenté de décrier en les tenant pour de peu d'importance.

Pour le comprendre, considérez la célèbre expérience menée dans les années 1960 par A.D. van De Groot, qui était lui-même un joueur d'échecs et s'intéressait justement à l'expertise dans ce domaine. On montre à des joueurs d'échec, durant un bref moment (entre 5 et 10 secondes), un échiquier comprenant 25 pièces du jeu placées selon une configuration possible d'une partie. On leur demande ensuite de reconstituer de mémoire ce qu'ils ont vu.

Il se trouve que les différents taux de succès à cet exercice sont parfaitement corrélés avec le statut du joueur. C'est ainsi que les grands maîtres ne se trompent pour ainsi dire jamais dans leur reconstitution de la partie ; que les joueurs un peu moins bien classés font quelques erreurs ; et ainsi de suite, jusqu'aux novices qui ne placent correctement que quelques pièces.

On pourrait penser que les grands maîtres ont des facultés intellectuelles extraordinaires – et que c'est ce qui fait d'eux de grands maîtres. Mais il n'en est rien. La mémoire de travail des grands maîtres, en particulier, est la même que la nôtre. Ils ont cependant accès à un très riche répertoire de savoirs – et connaissent un très grand nombre de positions possibles des pièces durant une partie – qui leur permet de mémoriser une partie donnée en un bref coup d'œil. Et les novices, quant à eux, ne replacent correctement... eh oui : qu'entre 5 et 9 pièces.

De Groot a ensuite montré à ses sujets des positions aléatoires de pièces, c'est-à-dire ne constituant pas une configuration possible d'une partie : comme on pouvait s'y attendre, les grands maîtres eux-mêmes ne plaçaient alors correctement que quelques pièces. (Combien ? Entre 5 et 9, mais vous l'aviez deviné.) Ce type d'expérience a été reproduit un grand nombre de fois et dans de nombreux domaines (médecine, physique, musique, etc.) avec, à chaque fois, le même résultat.

Il s'ensuit que, pour penser de manière critique, créative, à une question donnée, il faut posséder du savoir pertinent dans ce domaine permettant de regrouper des données et de surmonter les limitations de notre mémoire de travail. Et que lorsque nous discutons avec autrui, ce savoir est inévitablement mis en jeu : faute de le posséder, nous sommes plus ou moins exclus de la conversation démocratique à laquelle nous ne comprenons goutte. Ces conclusions renforcent l'idée de la nécessité d'un bagage culturel commun, en vertu de raisons intrinsèques, mais aussi politiques.

Donc, derechef et en tenant compte des objections que j'ai précédemment levées contre cette ambition, à quoi pourrait bien ressembler une véritable culture générale ?

Avant d'y venir, vous aurez compris que le regroupement par des savoirs préalables est la clé de la mystérieuse phrase donnée plus haut. Toute personne connaissant l'équitation a compris que Zippo est un cheval, qu'il participait à un concours de *reining* et qu'il a gagné parce qu'il a réussi une figure imposée particulièrement belle, ce qu'on saisit par le mode de notation particulière lors de ces compétitions (plus 1). Savoir cela n'est sans doute pas une composante indispensable d'une culture générale digne de ce nom. Mais alors qu'est-ce qui l'est ? La question reste immense et terrifiante. Il semble qu'il soit à présent impossible de se défiler…

Quelle culture générale ?

Toutefois, si l'on s'attend à ce que je dresse ici un tableau relativement complet de la culture générale telle que je la conçois, on sera déçu : je ne le ferai pas. Et si l'on s'attend à ce que je dise, comme c'est si souvent le cas, que c'est faute de place que je n'entreprends pas cet exercice, on se sera cette fois encore trompé : je ne le ferai pas tout simplement parce que je ne m'en sens pas capable, faute de posséder les cultures spécialisées nécessaires.

Une seule chose me semble relativement claire : si, pour les raisons que j'ai dites, la scolarité obligatoire a bien pour une de ses fins de transformer dans les directions que j'ai indiquées plus haut Liliane et tous les autres qui complètent leur scolarité au Lycée ; si, d'autre part, la construction du lien politique est une autre des fins de leur éducation ; et si, enfin, regroupement et nombre magique obligent, on ne peut faire l'économie d'une énumération des contenus par lesquels passe l'atteinte de ces finalités, alors, la détermination précise des contenus qui définissent la culture générale devrait être confiée à des spécialistes disciplinaires, mais qui seraient armés de principes et d'une vision claire de ce qu'ils cherchent à accomplir.

À ces spécialistes et à quiconque intéressé par la réflexion collective sur cette question, je ne peux offrir que quelques-uns de ces principes généraux ainsi que des observations et des suggestions ponctuelles. C'est ce que je ferai à présent. Après quoi, je me livrerai à une réflexion plus complète et moins timide à propos de la contribution à la culture générale de la seule discipline pour laquelle je me reconnais, peut-être témérairement, une modeste expertise : la philosophie.

L'ouverture de la culture générale

Il faut désormais ouvrir notre vision de la culture générale afin qu'elle échappe aux griefs énoncés contre elle (classicisme, sexisme, racisme, élitisme, occidentalocentrisme et ethnocentrisme). La détermination des contenus de la nouvelle culture générale devra pour cela s'alimenter aux divers travaux, parfois bien récents, qui ont ouvert des voies dans diverses directions permettant de contrer les biais et exclusions que j'ai évoqués au premier chapitre. Le canon qui en émerge n'est pas défini une fois pour toutes et traduit la dynamique des transformations qui caractérisent nos sociétés. Ce qui y appartient y figure d'ailleurs moins pour les réponses qui sont proposées que par les questions qui sont soulevées et la manière, critique, par laquelle des réponses sont avancées.

Ce chantier est immense, mais on peut trouver un certain réconfort dans le fait que le travail a commencé. La question de la détermination des contenus à ajouter dans chaque discipline, celle de la place qu'il convient de leur accorder et, éventuellement de ce qu'il faudrait retrancher pour leur ménager cet espace, ces questions seront en certains cas bien difficiles et plutôt que de proférer d'insignifiantes généralités, je m'en tiendrai là à ce sujet.

En revanche, il existe bien un outil philosophique qui peut aider à concevoir et à organiser de manière systématique l'ensemble du contenu de la culture générale, et cet outil sera aussi, je pense, utile pour trancher les dilemmes que son ouverture ne manquera pas de poser. Il s'agit de la théorie des « formes de savoir ».

Les formes de savoir

Toute définition de la culture générale court, devant l'immensité du territoire à couvrir, le risque de dégénérer en une stérile énumération de concepts, vain encylopédisme proposant par exemple une liste de grandes œuvres qui, il faut le craindre, ne seront que survolées, voire jamais lues – un peu comme ces *Great Books of the Western World* de l'*Encyclopaedia Britannica,* que d'innombrables foyers américains se flattèrent et se flattent encore de posséder et d'exhiber.

La théorie des « formes de savoir » est précieuse pour aider à mettre de l'ordre dans les contenus de la culture générale. Plus précisément, elle propose de déduire son contenu à partir de l'examen du concept de savoir.

C'est au philosophe britannique Paul Hirst, qui reste malheureusement très peu connu dans le monde francophone, que l'on doit ce travail. Hirst avance qu'il est possible de distinguer des « structures fondamentales par lesquelles l'ensemble de l'expérience est devenue intelligible aux êtres humains » : ce sont justement là les formes de savoir. Il les définit de la manière suivante – les textes de Hirst étant inaccessibles en français, on me permettra cette longue citation, issue de *Liberal Education and the Nature of Knowledge* :

> 1. Chacune met en jeu certains concepts centraux qui sont propres à la forme de savoir et en sont caractéristiques – par exemple, ceux de gravité, d'accélération, d'hydrogène ou de photosynthèse dans les sciences ; ou ceux de nombre, d'intégrale ou de matrice en mathématiques ; ceux de Dieu, de péché ou de prédestination en religion ; devoir, bien et mal pour le savoir moral.
> 2. Dans une forme de savoir donnée, de tels concepts – ainsi que d'autres – qui dénotent, possiblement de manière extrêmement complexe, certains aspects de l'expérience, composent un réseau de relations possibles à travers lequel l'expérience peut être comprise. Il s'ensuit que la

forme possède une structure logique distincte. Par exemple, les concepts et les propositions de la mécanique classique ne peuvent être reliés de manière significative que selon certaines modalités strictement limitées ; il en va de même pour l'explication en histoire. 3. En vertu de ses concepts spécifiques et de sa logique, la forme comprend des expressions ou des propositions (lesquelles sont possiblement des réponses à un type particulier de question) qu'il est possible, d'une manière ou d'une autre, fut-ce très indirectement, de mettre à l'épreuve de l'expérience [...] conformément à des critères spécifiques à la forme. 4. Les formes ont développé des techniques et habiletés qui permettent l'exploration de l'expérience et la mise à l'épreuve de leurs propositions spécifiques – que l'on songe par exemple à celles des diverses sciences ou des différents arts. En a résulté cette accumulation de savoir exprimé symboliquement qu'on retrouve à présent dans les sciences et dans les arts.

Partant de ces critères, Hirst énumère les formes de savoir suivantes : les mathématiques, les sciences physiques, les sciences humaines, l'histoire, la religion, les beaux-arts et la littérature, la philosophie, la morale. (Dans des écrits ultérieurs, il révisera quelque peu cette liste, mais ce n'est pas ici le lieu de nous attarder à ces révisions.)

Quoi qu'il en soit, on aura compris que la personne possédant une culture générale aura donc, d'une manière ou d'une autre puisque rien n'oblige à ce que son parcours soit celui que balisent les disciplines traditionnelles, parcouru le plus large éventail possible des formes de savoir.

On mesurera sans mal, je pense, à quel point cet outil peut s'avérer précieux pour dresser la nomenclature des contenus (concepts, réseaux de relations, mode de vérification) devant idéalement être connus par la personne cultivée.

Les sciences empiriques et expérimentales

J'ai insisté sur leur importance et déploré le peu de place qui leur est fait dans notre vision littéraire et humaniste de la culture générale, mais je ne peux pas ne pas y revenir à présent, même sous forme schématique.

Ce que je privilégierais n'a pour commencer rien à voir avec l'augmentation du nombre de jeunes qui choisissent d'étudier les sciences à l'université et donc rien à voir non plus avec l'objectif d'augmenter le nombre de scientifiques : il s'agit plutôt d'atteindre un accroissement qualitatif de l'éducation scientifique dispensée au plus grand nombre possible de gens – et je soutiens que cette éducation, telle que je la conçois, est accessible à tout le monde.

Cette éducation scientifique, dans mon esprit, est encore distincte de l'éducation technologique – celle qui nous prépare à utiliser les technologies dans nos vies privées et au travail.

Ce qu'on devrait y viser, c'est la compréhension des principes et des méthodes de la science, plus que (mais sans le négliger) son vocabulaire spécialisé, les faits et théories scientifiques. Chacun, sortant de l'école, devrait savoir ce qui caractérise la science comme méthode, ne rien ignorer de ses principes et avoir fait un tour au moins qualitatif des principaux résultats des différentes sciences.

Cette éducation devrait se concentrer sur les « grandes sciences » et donc introduire à la physique, à l'astronomie, à la chimie, aux sciences de la terre et à la biologie (y compris l'écologie scientifique).

Elle devrait finalement présenter la science comme une aventure intellectuelle, exaltante et exemplaire, mais aussi comme une aventure humaine et pour cela inscrire fortement la science dans ses contextes sociaux et historiques – j'y reviendrai plus loin.

Veut-on un exemple ? En physique, chacun de nous devrait avoir des notions d'astronomie, connaître et comprendre les lois de Newton, la gravitation universelle, l'énergie, les lois de la thermodynamique, l'entropie, l'électricité et l'électromagnétisme, la relativité, l'atome et posséder quelques notions de physique quantique.

Je tiens à insister de nouveau sur l'importance absolue de cette « littératie » scientifique commune. La science et la technologie sont et seront au cœur de la plupart des enjeux et des défis que nous réserve le futur – énergie nucléaire, énergies fossiles, cellules souches, pandémies virales, réchauffement planétaire, vaccination et ainsi de suite. Refuser d'armer chacun pour comprendre ces enjeux, c'est refuser de faire bénéficier la conversation démocratique de certaines des lumières qui lui sont indispensables si elle ne veut pas sombrer dans la propagande et que la science procure de manière exemplaire et inégalée : par exemple de cette leçon d'humilité épistémique et de faillibilisme qu'elle donne ainsi que ce souci des faits et de la vérification indépendante qui la caractérisent.

Pour m'en tenir à un exemple récent des immenses périls que nous fait courir notre méconnaissance collective de la science, considérez à quel point, aux États-Unis notamment mais pas seulement là, le remarquable effort de communication entrepris par les scientifiques eux-mêmes à travers le Panel intergouvernemental sur le changement climatique a pu, au moins en partie, être sabordé par la fraude d'un prétendu *climategate* vendu par des journalistes en mal de copie à un public scientifiquement illettré.

Pour des mathématiques citoyennes

Les mathématiques occupent une place à part dans les formes de savoir et dans la culture générale telle que je la souhaite.

Ici, je ne le cache pas, l'accent devrait selon moi être mis sur le volet politique de la formation et donc sur ce que j'appelle des mathématiques citoyennes pour tous − ce qui bien entendu n'interdit pas l'existence de filières de mathématiques pures pour ceux et celles qui en auront l'usage par leur profession ou par inclinaison.

Il s'agirait en somme de vaincre la « mathophobie » afin de doter chacun et chacune de cette indispensable composante de la culture générale qu'est une connaissance des mathématiques permettant de comprendre toutes ces données chiffrées, ces tableaux, ces sondages et autres dont nous sommes désormais constamment bombardés et de se prémunir contre les usages frauduleux qui peuvent en être faits en une sorte de réflexe d'autodéfense intellectuelle.

Sans entrer dans le détail du contenu de cet aspect de la culture générale, je soulignerai cependant que les statistiques et les probabilités occupent une place centrale dans cette formation, mais aussi, cela va sans dire, la géométrie ainsi que des notions d'algèbre – mais pas le calcul. L'arithmétique n'est bien entendu pas absente du corpus. Elle permettra d'éviter de se faire avoir de la manière suivante.

La scène se déroule n'importe où. Deux personnages sont présents : le caissier d'un commerce, le pigeon, et le client escroc, le pigeonnier.

Le client escroc : – Pourriez-vous me faire de la monnaie pour ce billet de vingt dollars ?

Il lui tend le billet.

Le pigeon : – Avec plaisir.

Il lui remet, disons, un billet de dix dollars, un billet de cinq dollars et cinq billets de un dollar.

Le client escroc : – J'y pense : j'ai déjà pas mal de billets de un dollar. Soyez gentil et changez-moi ces dix billets pour un billet de dix dollars.

Il compte les billets puis les lui donne.

Le pigeon lui donne son billet de dix dollars. S'il ne le fait pas, le client lui suggère de recompter les billets de un dollar, pour plus de sûreté. Il en trouve neuf et déclare qu'il manque un dollar.

Aussitôt le client escroc intervient : – Je suis désolé, je me suis trompé. Écoutez (il joint le geste à la parole), voici un dollar, ce qui fait dix et puis deux billets de cinq, ce qui fait vingt : rendez-moi donc mon billet de vingt et tout sera en ordre.

Le pigeon : – Entendu.

Et le pigeon a été roulé de dix dollars…

La littérature et la culture de l'imagination

La place de la littérature (et des arts en général, avec des degrés variables pour chacun, toutefois) dans la culture générale est incontestée et je ne perdrai donc pas de temps à la défendre, comme il faut, hélas, constamment le faire pour les sciences et les mathématiques. Ce sur quoi je veux insister cependant, c'est sur une des fonctions que peuvent jouer les arts et la littérature dans une culture générale. À ce sujet, la réflexion de la philosophe Martha Nussbaum, développée dans *Les Émotions démocratiques* (Climats, 2011), me paraît exemplaire et précieuse.

De même que certains animaux, suggère-t-elle, nous possédons tous cette habileté à nous mettre à la place d'autrui et, dès l'enfance, nous apprenons à penser aux effets de nos gestes sur nos proches. Mais cette faculté peut fort bien rester peu développée et, dans nos sociétés, nous ne l'étendons pas facilement à tous les autres groupes. Or, il est très facile de se dire qu'« ils » ne ressentent pas réellement, que ce sont des brutes. C'est ainsi, rappelle-t-elle par exemple, que dans son grand roman *Homme invisible, pour qui chantes-tu ?* Ralph Ellison situe avec raison le racisme à l'endroit des Afro-Américains dans cette incapacité à les voir comme des personnes à part entière, avec des vies complexes, des expériences et tout un monde intérieur.

Cela se généralise et dans une importante mesure les discriminations sont liées à une incapacité à prendre part à et à connaître, par l'imagination, la vie d'une personne d'un autre groupe. La discrimination à l'endroit des gay et des lesbiennes est ainsi en grande partie la résultante d'une carence de l'imagination, laquelle permet de comprendre ce que signifie voir le monde de tel ou tel point de vue.

Des relations avec ces gens peuvent bien sûr contribuer à combler cette carence, mais ceux et celles qui les considèrent comme des monstres les évitent. Or justement, la littérature et les arts peuvent fortement contribuer, par la culture de l'imagination, à l'extension de la sympathie et à briser ces barrières qui interdisent de voir l'Autre comme un être humain – ce qui est une condition nécessaire pour le traiter en objet et lui faire subir certaines des choses que l'on fait, hélas, subir à autrui.

L'importance de l'histoire et de l'histoire des idées

Une dernière observation, avant d'en venir au cas spécifique de la philosophie : l'historisation des concepts, des théories, des idées est une voie à privilégier partout. Elle seule procure en effet cette conviction que ce dont il est question est toujours un monde humain, qui se construit peu à peu avec ses avancées et ses reculs, ses succès et ses échecs. Cette conviction permet non seulement de prendre du recul sur les problèmes de notre temps mais aussi, par le spectacle qu'offre l'histoire de la splendeur et de la folie humaines, d'alimenter et de consolider ces vertus d'humilité, de faillibilisme et de capacité de distance critique que je tiens pour les marques d'une véritable culture générale.

Le cas de la philosophie

Je tiendrai ici pour acquis que son corpus a été élargi, notamment aux contributions des femmes et des traditions autres qu'occidentales. Partant de là, qu'est-ce qui caractérise la philosophie comme forme de savoir ?

J'avance que c'est le fait que s'y posent des problèmes singuliers qui sont dans une importante mesure de nature conceptuelle. Typiquement, en effet, ils demandent ce que signifie exactement X – X pouvant être le savoir, la justice, la signification, la conscience, et ainsi de suite. Souvent, il faut du temps pour apercevoir ce qui pose problème et pour saisir pourquoi il y a là des difficultés et des confusions et il faut, pour y parvenir, surmonter ces convictions immédiates que nous avons tous.

Ensuite, ces problèmes sont caractérisés par l'indétermination des méthodes qui conviennent pour les aborder : la philosophie est en effet caractérisée par une pluralité d'approches et quand un ou une philosophe en choisit une, il ou elle sait qu'elle devra défendre cette décision contre d'autres qui ont fait d'autres choix dont il ou elle peut fort bien par ailleurs convenir de la légitimité.

En troisième lieu, ces problèmes sont depuis longtemps débattus : pour les traiter, l'appropriation de cette tradition est un préalable incontournable. En ce sens, il y a en philosophie une actualité de la tradition qui est très spécifique à cette discipline. Elle explique qu'on puisse relire Platon comme aucun physicien ne lirait Newton (on ne le lit d'ailleurs plus, si on étudie la physique) ou aucun littéraire ne lit Cervantès.

Finalement, et cette idée est intimement liée à la précédente et explique leur pérennité, les questions et problèmes discutés en philosophie ont pour l'humanité une grande importance ou si l'on préfère une forte charge normative : ce qui y est discuté n'est ni banal ni trivial et les enjeux, intellectuels, moraux mais aussi, bien souvent, pratiques sont très élevés. Ces questions sont constamment reprises dans ce que j'appellerais une grande conversation qui se poursuit depuis toujours.

Si ce qui précède n'est pas trop erroné, il devrait être possible d'en déduire la place qui revient à la philosophie dans la culture générale.

Par la philosophie, on se confronte à des problèmes conceptuels d'une nature jusque-là inédite ; on découvre que des approches, des méthodes concurrentielles mais plausibles préconisent de les aborder de manières différentes ; on entre en contact avec une riche tradition de réflexion qui a repris et maintes fois posé ces questions ; lesquelles, pour finir, sont d'une grande importance.

Aucune culture générale digne de ce nom n'est complète sans s'être confrontée à ces concepts, ces problèmes, ces méthodes et ces théories que la philosophie, et elle seule, déploie.

De plus, en donnant accès à ce que je viens d'indiquer, la philosophie permet aussi d'accéder à ce bagage culturel auquel donnent certes aussi accès les autres disciplines ou formes de savoir, mais cette fois par une porte d'entrée privilégiée et distinctive.

Il en est ainsi justement parce que les questions que pose la philosophie sont conceptuelles et qu'elles ont donc toujours une dimension fondationnelle et radicale qui singularise son apport aux questions qui n'ont cessé d'être débattues dans la grande conversation de l'humanité. En voici un exemple.

La question de l'égalité a certainement été abordée par le biais de la sociologie ou de l'économie ; on l'a peut-être aussi discutée par le biais de la littérature, à l'occasion de la lecture d'un roman. Mais la philosophie, depuis Platon, pose la question de la nature même de l'égalité, elle a introduit pour la penser des distinctions conceptuelles incontournables qui n'ont cessé d'alimenter les réflexions de tous, y compris des économistes, des sociologues et des littérateurs.

Le fait que les questions que pose la philosophie le soient à ce niveau, joint à celui que les réponses proposées restent typiquement ouvertes et débattues, tout cela fournit deux autres indications quant à la place de la philosophie dans la culture générale.

Le premier est qu'on y rencontre cette possibilité que des questions soient essentiellement contestées et restent donc, pour longtemps encore, vivantes et débattues. Certes il existe en philosophie des savoirs à acquérir : sur la justice Platon pensait ceci, tandis qu'Aristote pensait cela. Mais, rapidement, on s'y trouve confronté à l'obligation de penser par et pour soi-même à ces questions, à argumenter, à comparer et à trancher, si on le peut.

Le deuxième argument est que la philosophie satisfait de la sorte, à tout le moins chez certains, un certain besoin d'unification, de synthèse et d'approfondissement dans l'organisation de leur pensée.

Les raisons que j'ai données jusqu'ici sont éducationnelles et intrinsèques à la discipline elle-même. Mais mon argumentaire serait incomplet sans l'évocation de raisons qui concernent le politique.

Pour commencer ce qu'apporte la philosophie permet aussi de penser le présent, notamment parce qu'elle contribue, de manière distinctive, à l'acquisition d'une part de ce bagage culturel indispensable pour prendre part à la conversation démocratique.

Ensuite, par la nature même des questions posées et des réponses qui sont avancées, la philosophie est un lieu où sont bien souvent mises de l'avant et où peuvent exister des idées et des valeurs qui sont comme autant de contre-exemples à certains aspects du monde extérieur, lesquels exercent parfois une bien troublante hégémonie au sein de l'école elle-même : utilitarisme à courte vue, souci permanent de rentabilité, pragmatisme, scientisme, etc.

Pour finir, et c'est peut-être le plus important sur le plan politique, la philosophie fournit une précieuse préfiguration d'un aspect important de la conversation démocratique elle-même. Une distinction kantienne introduite dans une formulation de l'antinomie du jugement de goût dans la *Critique de la faculté de juger* permet de cerner ce que je veux nommer ici : celle que le philosophe suggère entre disputer et discuter. Librement interprétée, cette distinction avance que nous disputons lorsqu'il est en théorie possible de trancher un désaccord par des moyens reconnus comme appropriés par les partis à la dispute, tandis que nous discutons lorsqu'en l'absence de tels moyens, et donc de critère objectif pour trancher cette décision, il est néanmoins possible et souhaitable de dialoguer, dans l'espoir de parvenir, sinon toujours à un accord, du moins à une élucidation plus fine des tenants et aboutissants du désaccord.

C'est ce que l'on fait en philosophie, après avoir acquis les indispensables savoirs préalables : et c'est ce que le citoyen fait lui aussi. Par la philosophie, il aura appris, en les pratiquant, ces vertus épistémiques qui permettent d'envisager qu'une autre position que la sienne est possible, qui invitent à s'efforcer de la comprendre et qui incitent à argumenter en faveur de la sienne, tout en sachant à quel point notre savoir est limité et en reconnaissant la profondeur peut-être irréductible des problèmes soulevés, mais en ne renonçant pas à chercher à y voir plus clair.

CHAPITRE 3

Culture générale et émancipation

J'ai commencé cette réflexion en expliquant ce qui peut et doit nourrir un sain et légitime scepticisme à l'endroit de l'idée de culture générale. J'en ai ensuite développé à grands traits un modèle qui me paraît souhaitable et réaliste. Je voudrais à présent recenser quelques-unes des menaces qui font obstacle à cette nouvelle culture générale : elles constituent souvent, on va le voir, le fond même de l'air du temps.

La tentation relativiste

Commençons par ce qui pourrait justement être la *doxa* philosophique de l'époque et voyons comment elle affecte l'idée de transmission d'une culture générale commune.

On invoquera ici une sorte de « tout-culturel » pour faire valoir que tout, depuis les graffitis qui ornent les murs de cités jusqu'aux œuvres de Molière, en passant par le dernier Manga et telle symphonie du répertoire classique, peut être tenu pour un contenu culturel digne d'être retenu dans notre inventaire. Et, dès lors, puisqu'il ne saurait y avoir de critère objectif pour évaluer leur valeur esthétique ou intrinsèque et justifier l'inclusion d'un élément et l'exclusion d'un autre, ce sera toujours arbitrairement qu'un contenu culturel plutôt qu'un autre sera retenu.

Cet argument, qui concerne les arts, la littérature, les humanités et, pour le dire brièvement, toute la gamme des pratiques culturelles, a un équivalent pour la deuxième culture – pour reprendre à Snow sa fameuse distinction : on assure cette fois qu'un même argumentaire peut être déployé à propos des sciences, qui n'auraient aucun privilège épistémologique, qui ne seraient qu'un discours prétendant dire le vrai parmi d'autres et que rien, hormis cette fois encore d'arbitraires critères, n'autorise à les privilégier dans un idéal de formation générale. On aura bien entendu reconnu ici des thèmes à la mode depuis quelques décennies dans les courants de pensée postmodernistes.

Dans les deux cas, qu'il s'agisse des pratiques culturelles ou de la science, c'est la même thèse qui est mise en avant, à savoir celle du relativisme – esthétique dans un cas, épistémologique dans l'autre.

Il est vrai que si cette thèse devait être acceptée, elle serait, au mieux, source de très sérieuses difficultés pour l'idéal que j'ai défendu – au pire, elle lui serait même fatale. Mais outre le fait qu'elles soient répandues en certains milieux, souvent intellectuels, existe-t-il une seule bonne raison d'adopter de telles idées ? Je ne le pense pas.

Considérons d'abord le relativisme épistémologique. Dès qu'on y regarde de plus près, une telle position semble peu plausible ; puis, très vite, on se rend compte qu'elle est rigoureusement intenable parce que contradictoire. Il se trouve que cette fatale contradiction a été mise à jour par Platon, il y a… deux millénaires et demi, de sorte qu'on pourrait croire ce dossier clos depuis longtemps.

Son argumentaire peut être ramené à ceci. Platon nous demande simplement de reconnaître que les gens pensent qu'il existe dans les diverses sphères de la vie des personnes disposant d'une expertise issue d'un savoir qu'ils sont censés posséder – et qu'ils se comportent en conséquence, consultant le marin avisé plutôt que l'ignare, le médecin plutôt que le charlatan, et ainsi de suite. La question de savoir si cette conviction est fondée et s'il existe bien de telles personnes est laissée en suspens : on demande seulement d'accorder que les gens pensent bien que ces personnes existent. Qui le nierait ? Et pourtant, et c'est le génie de Platon de l'apercevoir, la réfutation du scepticisme épistémologique est acquise dès qu'on l'accorde.

Devant cette croyance du sens commun, le relativiste, qui soutient qu'il ne peut y avoir de jugements vrais ou faux, est en effet placé devant un dilemme dont l'issue est à chaque fois la réfutation de sa thèse : ou bien les gens ont raison de penser ainsi et en ce cas nous nous trouvons devant une proposition vraie, ce qui le réfute ; ou bien ils ont tort de le penser, et en ce cas, cette fois encore, on se trouve devant une proposition qui réfute la thèse relativiste parce qu'elle est fausse. J'ajoute pour finir que la perspective relativiste postmoderniste semble aujourd'hui et fort heureusement avoir fait son temps et être sur le déclin : mais elle aura fait un tort immense à la grande conversation démocratique, notamment aux démunis, aux exclus et aux opprimés, qui, souvent, ne disposent que de ces armes que sont les faits, la raison et la vérité pour se faire entendre.

Le relativisme culturel est à première vue bien plus plausible : après tout, la diversité des jugements de goût est un fait aisément observable, et notre époque le conforte encore, elle qui semble exécrer l'idée même de hiérarchies en ces matières, lesquelles sont toujours suspectes de refléter des formes de domination. Mais malgré l'existence avérée de dominations de toutes sortes, la véritable question reste posée, celle de savoir s'il est possible de discriminer entre les productions culturelles et de les situer les unes par rapport aux autres, selon des critères d'excellence.

Cette fois encore, je pense que la réponse ne fait aucun doute : en matière de productions culturelles, par-delà la relativité, interpersonnelle, interculturelle et historique des jugements de goûts, il existe bien des normes universelles et des standards par lesquels juger de l'excellence. Les jugements que l'on avance en appliquant ces normes ne sont certes pas définitifs ; ils sont aussi révisables que ceux de la science sont faillibles : mais le reconnaître n'équivaut pas à admettre que de telles normes n'existent pas. À mon avis, c'est David Hume qui, sur cette question, indique la bonne direction en faisant remarquer que les jugements de goût des personnes qui satisfont à certaines conditions précises font de ces personnes les véritables juges du goût et de leurs verdicts réunis la norme.

Ces conditions sont au nombre de cinq. La première est la délicatesse de l'imagination, autrement dit la sensibilité de l'esprit aux émotions les plus subtiles, cette capacité à ressentir et à discerner des beautés (ou des laideurs) là où un autre esprit, privé de cette caractéristique ou ne la possédant qu'à un degré moindre, n'en distingue pas. La deuxième est la pratique, qui fortifie par l'exercice cette délicatesse ; on en vient ainsi immanquablement à établir des comparaisons entre les objets qu'on juge et ces comparaisons sont indispensables à la formation du goût et de la capacité à juger. D'où la troisième condition que recense Hume : la comparaison. Cependant, de nombreux facteurs peuvent pervertir notre jugement : notre amitié ou inimitié pour une ou un artiste, notre incapacité à nous placer dans la perspective de ceux et celles à qui l'œuvre est ou était destinée, et de nombreux autres : une indispensable absence de préjugés est donc la quatrième condition que nomme Hume. Finalement, comment corriger ces menaces par l'exercice d'un jugement sain ? Grâce à une dose de bon sens, selon Hume, ce bon sens seul capable de préserver les indispensables facultés intellectuelles que le jugement de goût met en œuvre, même si elles n'y sont pas premières. Par ce bon sens, autrement dit par la raison, on appréhende comme un tout les parties isolées d'une œuvre, les correspondances mutuelles entre les parties, on se remémore le but visé par l'œuvre et les règles qui président à sa confection.

Nous soupçonnons tous, d'expérience, que Hume a raison, même si ce critère et cette prétention à juger choquent, ou semblent élitistes : c'est que tous et toutes nous avons suivi la voie qu'il trace. Enchantés autrefois par des ritournelles pour enfants, par exemple, nous avons par enrichissement de notre expérience esthétique et par comparaison, élargi notre base informationnelle et revu en conséquence nos jugements esthétiques et nos hiérarchies.

C'est donc à des personnes possédant les vertus que décline Hume – et toute la sensibilité et les connaissances nécessaires pour « ouvrir le canon » – qu'il faudrait confier la difficile tâche de dresser la liste des contenus de la « littératie » culturelle et d'ouvrir le « canon esthétique » avec la conviction qu'il existe en ces domaines aussi des normes d'excellence. Un cas intéressant à méditer à ce propos est celui des rapports d'Adorno avec le jazz.

Adorno et le jazz

Le philosophe Theodor W. Adorno (1903-1969), un homme de gauche fortement marqué par le marxisme, a en outre été un des importants musicologues du XXe siècle. Il était de plus lui-même compositeur, et avait étudié avec l'illustre Alban Berg (1885-1935). Sa détestation du jazz reste un des thèmes incontournables de l'esthétique en même temps qu'une sorte de mystère : comment expliquer ce qu'un des fins analystes de cette étrange position d'Adormo a appelé un « déni esthétique », cette incapacité à saisir et à reconnaître l'excellence d'une production culturelle dans un domaine où il possédait pourtant des compétences qui auraient dû lui permettre de les appréhender aussitôt ?

Car le fait est qu'Adorno énonce ses thèses sur le jazz dès les années 1930, c'est-à-dire au moment où des artistes exceptionnels comme Louis Armstrong ou Duke Ellington sont au sommet de leur art, et qu'il ne les révisera jamais : comme il décède en 1969, Adorno aura eu l'occasion d'entendre Miles Davis, John Coltrane, Thelonious Monk, Billie Holiday ou Sarah Vaughan, toujours au sommet de leur art, et d'autres nombreux artistes tenus à juste titre pour des génies. Voilà l'énigme à laquelle bien des pages ont été consacrées. Il est clair qu'Adorno semble ici ne pas avoir fait preuve de cette absence de préjugés que réclame Hume.

Adorno offre un argumentaire pour justifier sa position. Selon lui, le jazz est une composante de l'industrie culturelle destinée aux masses. Or celle-ci contribue au maintien de l'autorité et du conformisme en fournissant aux masses des produits stéréotypés, standardisés et prévisibles. La culture de masse satisfait de la sorte certains besoins qu'elle crée et alimente et, atrophiant l'imagination, elle empêche ce faisant la formation de désirs plus fondamentaux et plus profonds. Elle se révèle donc selon Adorno être tout le contraire de l'art et de la culture authentiques.

Comme pour la plupart des observateurs impartiaux, ces critiques me semblent intenables devant le jazz. Mais cela ne signifie pas que la thèse de l'existence d'une industrie culturelle destinée aux masses et aux effets abrutissants soit à mettre de côté, loin de là. Et ce vers quoi elle pointe constitue une autre des graves menaces à un idéal de culture générale commune. Voyons pourquoi.

Médias et crétinisation des masses

Outre l'éducation, les médias sont le grand vecteur par lequel une société inscrit son souci de la culture générale de ses membres et de la qualité de la conversation démocratique. Mais leur commercialisation et le souci de rentabilité qui les habite désormais et qui leur donne l'accroissement de l'audimat pour tout horizon de sens, joints à leur concentration en un nombre de plus en plus restreint de propriétaires, tout cela entretient de légitimes inquiétudes quant à la compatibilité de ces armes de diversion massive avec un idéal de culture générale commune et répandue. Je propose de distinguer deux aspects par lesquels de tels médias sont peu propices à l'idéal de culture générale que j'ai présenté.

Le premier est politique : loin de contribuer à l'exigence de la conversation démocratique, de tels médias tendent en effet à jouer un rôle essentiellement propagandiste et à proposer une vision univoque et simplifiée du monde, laquelle est largement au service des institutions dominantes. Ce thème est bien connu : de nombreux travaux sérieux et crédibles justifient désormais cette inquiétude.

Le deuxième concerne cette idée de diversion que j'ai évoquée plus haut. C'est qu'il me semble que les thèses avancées il y aura bientôt trente ans par Neil Postman dans *Se distraire à en mourir* ont, hélas, reçu d'éclatantes confirmations.

Postman suggérait que ce pourrait bien être Aldous Huxley, qui redoutait qu'on n'ait plus envie de lire des livres, qui aurait finalement raison contre George Orwell, qui craignait qu'on les bannisse. Annihiler cette envie de lire, voilà ce qu'accomplirait désormais le divertissement médiatique, anesthésique d'un genre différent de celui de Pascal, notamment par sa portée politique. Ce divertissement est un cocktail abrutissant qui laisse bien peu de chance à la culture générale, à sa diffusion et à son appréciation mais qui, en revanche, met les spectateurs, lecteurs ou auditeurs, à la merci des annonceurs.

Patrick Le Lay, grand patron de TF1, levait le voile sur cet aspect des choses en déclarant : « Il y a beaucoup de façons de parler de la télévision. Mais dans une perspective business, soyons réalistes : à la base, le métier de TF1, c'est d'aider Coca-Cola, par exemple, à vendre son produit [...]. Or pour qu'un message publicitaire soit perçu, il faut que le cerveau du téléspectateur soit disponible. Nos émissions ont pour vocation de le rendre disponible : c'est-à-dire de le divertir, de le détendre pour le préparer entre deux messages. Ce que nous vendons à Coca-Cola, c'est du temps de cerveau humain disponible. »

Cette déclaration a le mérite d'être vraie. J'ai pour ma part toujours aimé la façon, plus cavalière sans doute mais très efficace, qu'avait Rod Sterling – le scénariste à qui l'on doit la série télévisée *Twilight Zone* (*La Quatrième Dimension*) – de parler de ces choses, en soulignant les tensions inhérentes au lien qu'entretiennent télévision et culture : « Il est difficile de produire un documentaire télévisé qui soit pertinent et incisif quand on est interrompu toutes les douze minutes par douze lapins qui dansent en chantant les vertus d'un papier hygiénique. »

La tentation du raccourci

Notre époque est pressée, mais la culture demande du temps. D'où le fort attrait de ces promesses de raccourcis qui permettraient d'acquérir rapidement de la culture générale. Mais comme on sait : il est des raccourcis qui rallongent et des avances qui donnent du retard. Ces promesses prennent au moins deux formes.

La première est celle de ces innombrables *digests*, résumés, sommaires et condensés de toutes sortes qui s'offrent à la vente en promettant d'alléger le fardeau de l'effort de lire, de comprendre et de penser dans l'indispensable longue durée que cela exige. Parmi eux, on trouvera même des travaux et des dissertations tout prêts qui permettent de s'épargner, cette fois tout à fait, d'avoir à lire, à comprendre et à penser.

La deuxième est une sorte de mirage techniciste auquel la familiarité avec le nombre magique devrait à elle seule interdire de succomber. L'idée est cette fois que l'existence d'Internet comme source quasi illimitée d'informations forcerait à réévaluer complètement l'importance qui était autrefois accordée à la transmission de connaissances, de faits et d'informations. C'est en ce sens que Michel Serres affirme qu'« Internet nous force à être intelligent ».

Après tout, vous expliquera-t-on, il sera toujours possible d'aller sur Internet chercher une information qui vous manque, de sorte que c'est perdre un temps précieux que de vouloir transmettre de simples faits et informations composant la culture générale, lesquels sont aisément accessibles et qui risquent, de surcroît, d'être vite périmés. Le plus sage et le plus efficace est plutôt d'apprendre aux enfants à raisonner, à synthétiser, à être créatif, à faire preuve d'esprit critique, à questionner, bref de développer chez eux ces habiletés cognitives de haut niveau qui sont celles des experts – sans oublier bien entendu celle qui consiste à chercher de l'information, notamment sur Internet.

En somme, et on invoquera ici Montaigne, tout éducateur vise à former une tête bien faite : il devrait donc viser, non à la remplir de connaissances, d'informations et de « simples faits » vite périmés, mais à développer, par la pratique, ces indispensables habiletés de haut niveau que l'élève pourra ensuite utiliser dans différents contextes – c'est-à-dire transférer –, et ce tout au long de sa vie.

Le malheur est que – et Montaigne le savait bien –, sans ces simples faits, ces facultés intellectuelles ne peuvent se déployer et qu'elles n'existent pas indépendamment d'eux : sans un riche bagage de connaissances dans chacune des formes de savoir, il n'est pas de pensée critique, créatrice, etc., dans cette forme de savoir. On en revient donc à la longue, lourde mais indispensable tâche de transmettre, patiemment, petit à petit, les divers contenus de la culture générale qu'on a décidé de faire acquérir.

La pente utilitariste

La culture générale est désormais parfois perçue comme une chose que l'on acquiert non pas durant sa scolarité – et qu'on affine et perfectionne ensuite le reste de sa vie – mais comme une sorte de vernis dont on doit se doter le plus rapidement possible afin de satisfaire des exigences à l'entrée de divers cursus. Le rapport qu'on entretient avec elle tend dès lors à être instrumental et utilitariste.

Au même moment, comme pour empirer encore les choses, un véritable assaut contre certaines de ses composantes fondamentales – appelons cet ensemble de disciplines les humanités – est mené, tout particulièrement au sein des universités, où des départements entiers sont menacés de coupes sévères, voire de fermeture.

Ce n'est donc pas sans une certaine satisfaction que l'on voit paraître de temps en temps des études démontrant que, même en restant sur le terrain qu'occupent les contempteurs de cette part de la culture générale, c'est cette dernière qui démontre, comme il fallait s'y attendre, sa plus grande « efficacité ». Considérez par exemple ces travaux consacrés aux universitaires finissants et qui montrent à quel point réussissent bien à divers tests et dans divers métiers des étudiantes et étudiants de philosophie, y compris en affaires où leur formation semble une meilleure préparation qu'un MBA ! [http://www.ius.edu/philosophy/pdf/whystudyphilosophy.pdf]

Le mal scolaire en VF

Dans une société moderne, c'est au sein de l'école, plus que n'importe où ailleurs, que devraient être apprises ces indispensables bases de la littératie culturelle. Mais l'école française, semble-t-il, possède certaines étonnantes et troublantes caractéristiques qui, si elles sont avérées, ne sont pas sans lien avec notre sujet. Le fait d'être étranger en ce pays aide peut-être à les percevoir mieux. Quoi qu'il en soit, c'est bien un étranger, le journaliste Peter Gumbel, dont les filles sont scolarisées en France, qui en a récemment dressé un percutant portrait (*On achève bien les écoliers*, Grasset, Paris, 2010).

Les questions relatives à l'école sont le plus souvent très complexes et les données la concernant sont à utiliser de manière circonspecte, notamment dès lors que des relations causales sont invoquées. Mais il reste que Gumbel dresse un tableau crédible, bien sombre, noir en fait, comme le tableau du même nom, de ce que l'on fait vivre à l'élève français et des effets que ce vécu semble avoir sur sa santé, tant physique que mentale et intellectuelle.

L'élève français y apparaît en effet, de façon beaucoup plus marquée que ses confrères étrangers, comme anxieux, stressé, angoissé. Il redoute de manière maladive, voire obsessionnelle, l'échec et l'erreur et il est hanté par la peur de ne pas réussir. Il reçoit trop souvent comme autant de coups de massue arbitraires destinés à le casser les messages qu'on lui envoie sur lui-même et sur son travail – notamment, par le mode de notation qui est pratiqué à l'école, qui semble toujours rapporter la note à une moyenne établie dans une perspective élitaire, voire de concours – et ces messages le démotivent et le découragent. Il entretient en outre une image négative de ses professeurs, de l'étude et de l'école elle-même.

Voici quelques données, qu'on devra bien entendu contextualiser pour les apprécier, qui donnent néanmoins une idée du propos et des motifs d'inquiétude de Gumbel : 71 % des élèves en France sont régulièrement « sujets à de l'irritabilité » ; 63 % souffrent de nervosité ; un sur quatre a mal au ventre ou à la tête une fois par semaine ; 40 % se plaignent d'insomnies fréquentes ; 75 % sont inquiets d'avoir de mauvaises notes en mathématiques (contre 59 % pour la moyenne des pays de l'OCDE). Et tout cela avec des taux globaux de réussite médiocres aux tests internationaux, des abandons scolaires qui restent trop élevés, des inégalités persistantes de résultat, de persévérance et de diplômes, lesquelles varient de manière marquée selon la provenance socio-professionnelle des parents. Sans oublier des résultats étonnamment décevants jusque dans ces filières élitaires du système et dans des disciplines qui sont traditionnellement des pôles d'excellence, comme les mathématiques, où les résultats des élèves français, toujours selon des tests internationaux comparatifs, sont plutôt faibles relativement à ceux obtenus dans des pays comme le Canada, l'Australie ou les Pays-Bas.

Quel rapport au savoir, à la culture, prépare-t-on par là ? Quelle place y occuperont le bonheur, le plaisir d'apprendre ? Mon hypothèse serait que c'est à l'école que s'incarne d'abord et se perpétue ce qu'a de plus détestable cette singulière relation amour/haine qu'on semble entretenir avec la culture et la culture générale : l'école serait en ce sens le microcosme de ce dont la société est le macrocosme.

L'ensemble de ces menaces constitue un obstacle énorme à la transmission d'une véritable littératie culturelle commune. Mais cet obstacle n'est peut-être pas insurmontable.

Ce que l'on sait de l'apprentissage

Je fonde cette espérance d'abord sur le fait que nous en savons désormais assez pour être en mesure de transmettre à tous cet ambitieux curriculum de culture générale par des méthodes éprouvées. Des facteurs de toutes sortes – idéologiques, économiques, politiques – peuvent en retarder la reconnaissance, mais le fait est que des méthodes plus efficaces que d'autres pour apprendre à lire, à écrire, à compter sont à présent connues, identifiées et expérimentées. Il ne tient qu'à nous de nous appuyer sur elles.

Et s'agissant de tester rigoureusement les méthodes que nous utilisons pour enseigner, je m'en voudrais de ne pas souligner qu'il est une hypothèse qui mériterait de l'être. D'aucuns soutiennent en effet que l'apprentissage de la pensée critique devrait commencer dès le tout début de la scolarisation et prendre la forme de la pratique de la philosophie : nous aurions tout intérêt à soumettre cette prétention à l'épreuve des faits.

Une éthique de la sollicitude culturelle

« J'aimais, dit Rimbaud, les peintures idiotes, dessus de portes, décors, toiles de saltimbanques, enseignes, enluminures populaires ; la littérature démodée, latin d'église, livres érotiques sans orthographe, romans de nos aïeules, contes de fées, petits livres de l'enfance, opéras vieux, refrains niais, rythmes naïfs. » Nous gagnerions collectivement à retenir cette leçon du poète et à nous rappeler que nous avons tous entrepris notre voyage culturel par des chemins multiples, aimant des formes et des productions que nous reconnaîtrons ensuite comme inférieures. N'en rougissons pas et ne dénions pas aux autres ce droit. Faisons montre de sollicitude envers ces autres – et envers nous-mêmes, quand nous boudons notre plaisir sous prétexte que l'on ne saurait avouer aimer de la littérature démodée, les romans de nos aïeules, les refrains niais et les rythmes naïfs.

Les leçons pédagogiques que cette attitude commande sont celles que Daniel Pennac expose de manière savoureuse dans ses commandements au lecteur – qui seront aussi, on le devine, ceux de l'amateur de musique, de peinture, de cinéma et qui vaudront pour tous les explorateurs partis à la conquête de la culture générale. La plus importante de ces leçons pourrait être la suivante : « Le verbe lire ne supporte pas l'impératif. Aversion qu'il partage avec quelques autres : le verbe *aimer*... le verbe *rêver*. »

Éloge des rebelles

Ceux et celles qui résistent à la culture qu'on leur propose, ces rebelles que redoutent tant d'enseignants, détiennent un grand secret, qu'il faut percer. C'est que, pour avoir sur nous l'ensemble des effets qu'on en attend, la culture, on l'a vu, doit être chose vivante et non inerte, jusqu'à devenir une composante de ce que nous sommes. Cela suppose qu'on se l'approprie et cette appropriation, qui fait devenir autre, ne peut que susciter des résistances, qui sont justement l'indice que ce corps étranger fait son œuvre. Une trop grande docilité est ici indice de non-appropriation. L'anarchiste Max Stirner a vu cela comme personne, dans *Le Faux Principe de notre éducation* :

> La plupart des étudiants sont un exemple vivant de cette triste tournure que prennent les choses. Courtaudés de la plus belle façon, ils courtaudent à leur tour, dressés, ils dressent encore. Mais toute éducation doit se faire personnelle, et partant du savoir, ne jamais perdre de vue qu'il ne doit pas être un avoir mais le Moi lui-même. En un mot, il ne s'agit pas de développer le savoir, mais d'amener la personne à son épanouissement. Le point de départ de la pédagogie ne pourra plus être le désir de civiliser mais celui de développer

des personnes libres, des caractères souverains ; voilà pourquoi la volonté, que l'on a jusqu'à présent si violemment opprimée, ne devra pas être affaiblie plus longtemps. Puisqu'on n'affaiblit pas le besoin de savoir, pourquoi donc affaiblirait-on celui de vouloir. Que l'on veille aussi à l'un si l'on veille à l'autre. L'insubordination et l'entêtement de l'enfant ont autant de droit que son désir de savoir. On met tout son soin à stimuler ce dernier ; que l'on provoque donc aussi la force naturelle de la volonté, l'opposition.

Bourses du travail, nostalgies...

J'ai évoqué en ouverture de ce livre les sentiments contradictoires − admiration et suspicion − que ressent l'étranger devant les surprenants rayonnages de culture générale des librairies françaises. Quand cet étranger a de profondes sympathies pour l'anarcho-syndicalisme, quand il admire l'œuvre de Fernand Pelloutier (1867-1901) et qu'il est nostalgique de cette formidable prise en main de leur destin par les opprimés, alors un tout autre sentiment, mélange de mélancolie et d'admiration, le saisit cette fois quand, en France, il passe devant ces monuments souvent imposants et au fronton desquels on lit : Bourse du travail.

Dans cet idéal porté par les anarchistes s'est incarné quelque chose de noble et d'authentique, qui reste à des lieues de tout ce que nous pouvons connaître ou imaginer aujourd'hui s'agissant de culture générale et d'éducation, d'autant qu'il était lié à un projet d'émancipation économique radical...

Du point de vue éducationnel – les Bourses étaient encore bien plus que cela –, on peut imaginer ces lieux comme des sortes de centres communautaires d'éducation des adultes, dont les cours et les activités sont offerts à tous les travailleurs sans exception. Le vaste bâtiment qui l'abrite, et qui a été payé avec les centimes mis de côté par les travailleurs eux-mêmes, comprend une bibliothèque, une salle de lecture, un grand hall pouvant accueillir des centaines de personnes, des salles de classe dans lesquelles on enseigne un curriculum riche et vaste, qui va bien au-delà de l'anarchisme ou même de la sociologie ou de l'histoire, puisqu'on y aborde aussi les sciences, l'anglais, la littérature et l'art, de même que la rhétorique et d'autres sujets encore. On y donne à l'ouvrier la « science de son malheur », selon la belle formule de Pelloutier ; et les moyens de lui échapper, ajouterons-nous.

Pour qu'une véritable idée de culture générale puisse vivre et s'incarner, il nous faudrait renouer avec cette tradition radicale en politique qui prenait l'éducation et la culture au sérieux, comme autant d'incontournables conditions de l'émancipation individuelle et de la transformation sociale. Est-ce possible ? Je l'espère en tout cas. Et les actuelles universités populaires, qui vont bel et bien en ce sens, sont de nature à conforter cette conviction.

Mais je ne peux m'empêcher de noter ici que c'est un bien étrange renversement que celui qui a fait que cette volonté populaire de se cultiver, d'acquérir une véritable culture générale, de se doter non pas d'un simple savoir-faire ou encore d'une éducation spécialisée – celle de l'avocat, du dentiste, du savant et ainsi de suite –, mais bien, comme disaient alors les anarchistes, d'une éducation « intégrale », que cette volonté, donc, longtemps si chère au cœur des classes ouvrières, ait aujourd'hui été reprise par les classes moyennes et par la bourgeoisie, petite ou grande, pour s'en parer comme autant de marques de distinction. Tandis que, dans le même temps, les ouvriers et les classes prolétariennes n'adhèrent souvent à cette ambition de se cultiver, et de manière prédictible, que pour des raisons utilitaristes – quand ils ne la rejettent pas comme étant bourgeoise, sans doute en partie parce qu'elles n'ont plus guère le temps de la satisfaire et parce que tant de divertissements abrutissants leur sont proposés où le spectacle qui s'y donne de ce que font et sont certaines personnes cultivées est à lui seul de nature à faire passer le goût d'acquérir ce qui les définit.

Mais qui sait ? Peut-être aussi est-ce la prémisse sur laquelle reposaient les ambitions de se cultiver des anarchistes d'hier qui est erronée, cette prémisse qui est aussi celle de l'argumentaire que j'ai avancé et qui, au fond, est commune à toute défense classique de la culture et de l'éducation.

On l'aura deviné : cette prémisse est l'idée que par la culture et l'éducation nous devenons meilleurs. C'est sur ce sujet que j'aimerais conclure cette réflexion.

Conclusion

À ceux et celles qui, comme moi, font ce pari de la culture, on fait souvent, par-delà toutes les difficultés que j'ai recensées, cette objection que l'on veut décisive : l'idée que la culture et l'éducation nous rendent meilleurs est erronée et trompeuse.

Car après tout, dira-t-on, ce sont bien des générations d'humains éduqués qui nous ont conduit là où nous en sommes, depuis cet état de guerre permanent dans lequel se maintient l'humanité jusqu'aux assauts soutenus contre l'environnement en passant par les risques de conflit nucléaire.

La situation est telle qu'il n'est plus rare, aujourd'hui, d'entendre des voix crédibles prophétiser que ce n'est pas seulement notre civilisation qui est menacée, mais la vie sur Terre elle-même.

Ernst Mayr (1904-2005), un des plus importants biologistes du XXe siècle, a donné une formulation percutante de cet argument lors d'un célèbre débat avec le regretté astrophysicien et vulgarisateur scientifique Carl Sagan (1934-1996), au sujet du programme SETI. Sagan était l'un des plus ardents promoteurs de l'exobiologie et de son programme de recherche d'intelligence extraterrestre (SETI) : se fondant sur diverses hypothèses, Sagan et d'autres estimaient à ce point probable l'existence d'une telle intelligence qu'ils s'efforçaient d'en détecter des signes et de nous rendre détectables à elle. Mayr était sceptique quant à ces efforts. Il objectait en substance que nous ne disposons que d'un seul exemple d'une intelligence d'un niveau supérieur, et cet exemple montre qu'elle est capable de s'autodétruire, de sorte que nous nous détruirons avant d'entrer en contact avec une autre intelligence supérieure, laquelle se sera de toute façon probablement autodétruite avant.

Devant de telles réflexions, devant ce saccage planétaire auquel nous nous livrons depuis toujours avec une confondante et désespérante assiduité, parler de culture générale peut sembler bien frivole. Pourtant, je ne pense pas que l'espoir placé en la culture et en l'éducation soit déraisonnable.

D'abord, très simplement, parce que nous n'avons que ces seules armes à opposer au désastre. Ensuite, parce que ce sombre portrait néglige ce que peut la culture, ce qu'elle a pu hier et qu'elle peut encore accomplir demain, pour d'innombrables personnes et collectivités. La culture, le savoir, l'éducation, peuvent donner des idées de liberté et de changement, et le courage de lutter pour elles. Comme l'écrivait Victor Hugo (*Ouverture du congrès littéraire international de 1878*) : « Qui que vous soyez qui voulez cultiver, vivifier, édifier, attendrir, apaiser… mettez des livres partout. »

Quelques gouttes d'antidote

Il est absurde d'avoir une règle rigoureuse sur ce qu'on doit lire ou pas. Plus de la moitié de la culture intellectuelle moderne dépend de ce qu'on ne devrait pas lire.

> Oscar Wilde, *Phrases And Philosophies For The Use Of The Young.*

Je trouve que la télévision est très favorable à la culture. Chaque fois que quelqu'un l'allume chez moi, je vais dans la pièce à côté et je lis.

> Groucho Marx.

Quand je lis Homère, je fais société avec le poète, société avec Ulysse et avec Achille, société aussi avec la foule de ceux qui ont lu ces poèmes, avec la foule encore de ceux qui ont seulement entendu le nom du poète. En eux tous et en moi je fais sonner l'humain, j'entends le pas de l'homme. Le commun langage désigne par le beau nom d'Humanités cette quête de l'homme, cette recherche et cette contemplation des signes de l'homme. Devant ces signes, poèmes, musiques, peintures, monuments, la réconciliation n'est pas à faire, elle est faite.

Alain, *Propos sur l'éducation.*

Aussitôt que nous comprenons et apprécions une production humaine, elle devient nôtre, peu importe sa provenance. Je suis fier de mon humanité quand je peux reconnaître et apprécier les poètes et les artistes de pays autres que le mien. Qu'on me laisse goûter cette joie sans mélange de savoir que sont miennes toutes les grandes gloires de l'humanité.

R. Tagore.

Je considère comme étant de la littérature, non seulement les simples nouvelles, les histoires, les saynettes, les narrations de voyage, les essais de toutes sortes publiés dans les magazines, mais aussi dans ce qu'il y a de plus pauvre et de plus piètre dans les romans à cinq sous, dans les histoires de détectives, dans les reportages des journaux, dans les analyses de parties de baseball, et même dans la publicité. Oh, quelle charmante et véridique image de nous-mêmes avons-nous à travers ces textes ! [...] Il est peut-être dangereux de le dire, mais je considère comme une évidence pour la littérature en général qu'une forme modérée de plaisir vulgaire reste une forme d'équilibre salvatrice dans la psyché de chaque homme et de chaque femme, un signe d'ancrage dans une hygiène mentale qui fait qu'on prend les choses telles qu'elles sont et qu'on en rit.

Voltairine de Cleyre, *D'espoir et de raison.*
Écrits d'une insoumise.

Je crois qu'il vaut mieux dire que ce mal vienne de leur mauvaise façon de se prendre aux sciences ; [...] Nous ne travaillons qu'à remplir la mémoire, et laissons l'entendement et la conscience vide. Nous savons dire : *Cicéron dit ainsi* ; *voilà les mœurs de Platon* ; *ce sont les mots mêmes d'Aristote.* Mais nous, que disons-nous nous-mêmes ? Que jugeons-nous ? Que faisons-nous ? Autant en dirait bien un perroquet.

Montaigne, *Essais*, Livre I, chapitre 25.

La Culture est un instrument manié par les professeurs pour fabriquer des professeurs lesquels, à leur tour, fabriqueront des professeurs.

Simone Weil, *L'Enracinement.*

Une culture établie, protégée, subventionnée, constituée en église ou chapelle vivant aux dépens du public risque fort de n'être qu'une fausse culture. [...] La vraie culture, le vrai sport, l'art véritable comme la vraie religion, est plus réellement démocratique. Elle est plus réellement et plus spontanément demandée. Elle ne va pas de haut en bas, jusqu'au peuple, à partir de mystérieux arcanes habités par des grands prêtres.

Raymond Ruyer, *Éloge de la société de consommation.*

Ce n'est qu'une fois qu'il a atteint un certain niveau de vie matérielle qu'une véritable culture intellectuelle et un intérêt pour des préoccupations plus élevées deviennent possibles pour un être humain. Sans ce préalable, de telles aspirations sont tout simplement hors de question. Des êtres qui sont constamment menacés par la plus terrible des misères ne peuvent guère apprécier les plus élevées des valeurs culturelles. Ce n'est donc qu'à la suite de décennies de combats leur ayant permis de s'assurer un meilleur niveau de vie que la question du développement intellectuel et culturel a pu commencer à se poser pour les travailleurs. Et ce sont justement ces aspirations-là que les patrons redoutent le plus. Pour la classe capitaliste, le mot du ministre espagnol Juan Bravo Murillo continue de valoir encore aujourd'hui : « Chez les travailleurs, nous n'avons pas besoin d'hommes qui sont capables de penser : ce qu'il nous faut, ce sont des bêtes capables de trimer. »

Rudolf Rocker,
Théorie et pratique de l'anarcho-syndicalisme.

Il ne suffit pas d'avoir de Belles Lettres pour écrire un vrai alphabet.

J. Prévert, *Fatras.*

Intellectueurs à gages...

Gilbert Langevin.

BIBLIOGRAPHIE

Bourdieu, Pierre, *La Distinction*, Les Éditions de Minuit, « Le sens commun », Paris, 1979.

Casement, William, *The Great Canon Controversy : The Battle of the Books in Higher Education*, Transaction Publishers, 1997.

Chomsky, Noam, *Permanence et mutations de l'université*, PUQ, Québec, 2010.

Coulangeon, Philippe, *Sociologie des pratiques culturelles*, La Découverte, 2 e édition, Paris, 2010.

Cuche, Denys, *La Notion de culture dans les sciences sociales*, La Découverte, « Grands Repères », 4e édition, Paris, 2010.

Fleury, Jean, *La Culture*, Bréal, Paris, 2008.

Gubin Éliane *et al.*, (sous la direction de), *Le Siècle des féminismes,* Éditions de l'Atelier, Paris, 2004.

Hirsch, Eric Donald Jr, *The Schools We Need : And Why We Don't Have Them*, Anchor Books, New York, 1999.

Hirst, Paul Heywood, *Knowledge and the Curriculum*, Routledge and Kegan Paul, Londres et Boston, 1974.

Julliard, Jacques, *Fernand Pelloutier et les origines du syndicalisme d'action directe*, Éditions du Seuil, Paris, 1985.

Lasch, Christopher, *Culture de masse ou culture populaire ?*, Climats, Paris, 2011.

Peters, Richard Stanley, *Ethics and Education*, George Allen and Unwin, Londres, 1966.

Postman, Neil, *Se distraire à en mourir*, Nova, Paris, 2010.

Rodriguez, Richard, *Hunger of Memory. The Education of Richard Rodriguez : an Autobiography*, Bantam Books, New York, 1983.

Zinn, Howard, *Une histoire populaire des États-Unis*, Agone, Marseille, 2002.

TABLE

Mise en page par Meta-systems
59100 Roubaix

Achevé d'imprimer en février 2015
par Dupli-Print à Domont (95)
N° d'impression : 2015021768
N° d'édition : L.01EHBN000447.A006
Dépôt légal : septembre 2011

Imprimé en France